*Tutte le opere
di
Luigi Pirandello*

Luigi Pirandello

Liolà
Così è (se vi pare)

a cura di Roberto Alonge

Arnoldo Mondadori Editore

© 1992 Arnoldo Mondadori Editore S.p.A., Milano

I edizione Oscar Tutte le opere di Pirandello marzo 1992

ISBN 88-04-36550-1

Questo volume è stato stampato
presso Arnoldo Mondadori Editore S.p.A.
Stabilimento Nuova Stampa – Cles (TN)
Stampato in Italia – Printed in Italy

Ristampe:

5 6 7 8 9 10 11 12 13

1995 1996 1997 1998 1999

*Il testo di questa edizione segue gli emendamenti proposti
da Alessandro d'Amico nell'edizione delle* Maschere nude
*pubblicata nei «Meridiani» di Mondadori (vol. I, Milano 1986;
vol. II, Milano 1993).*

Introduzione

«Liolà»: un testo-vacanza

Liolà è indubbiamente il risultato più alto di quella produzione "dialettale" che ha costituito uno stimolo importante per riportare Pirandello al teatro, dopo le delusioni giovanili (si veda la Cronologia). Dopo *Lumie di Sicilia* (1910, ma tradotto in siciliano nel 1915), *Pensaci, Giacomino!* e *Il berretto a sonagli* (composti direttamente in siciliano fra il febbraio e l'agosto del '16), *Liolà* è il quarto testo che Pirandello predispone per l'attore siciliano Angelo Musco. Lo compone tra l'agosto e il settembre dello stesso 1916. Come scrive al figlio Stefano, prigioniero degli austriaci, in una lettera del 24 ottobre 1916: «È, dopo il *Fu Mattia Pascal*, la cosa mia a cui tengo di più: forse la più fresca e viva. Già sai che si chiama *Liolà*. L'ho scritta in quindici giorni, quest'estate; ed è stata la mia villeggiatura. Difatti, si svolge in campagna. Mi pare d'averti già detto che il protagonista è un contadino poeta, ebbro di sole, e tutta la commedia è piena di canti e di sole. È così gioconda, che non pare opera mia». Pirandello è consapevole dell'eccezionalità di questo lavoro all'interno della sua produzione. Quasi una parentesi e una fuga dalle brutture e dai dolori della vita di quegli anni, un'immersione mitica nel territorio immaginario della propria Girgenti lontana. Di qui, forse, la scelta di usare lo stretto e chiuso dialetto agrigentino anziché il cosiddetto "dialetto borghese", più comprensibile, che aveva utilizzato precedentemente (ma si veda su questo punto in Appendice l'*Avvertenza* premessa da Pirandello all'edizione bilingue del 1917 presso l'editore Formìggini: testo siciliano e traduzione italiana a fronte). Alla prima al Teatro Ar-

gentina di Roma, il 4 novembre 1916, Musco nella parte
del protagonista, il pubblico accusò un certo disagio per
la difficoltà linguistica ma la commedia non dispiacque.
Anche la critica più intelligente (si vedano in Appendice
le recensioni di Renato Simoni e di Antonio Gramsci)
mostrò di saper apprezzare il lavoro.

Pirandello fu sempre cosciente del fatto che *Liolà* non
poteva che restare un testo in dialetto. Nel '17 si limitò
a pubblicarlo – come si è detto – con una traduzione italiana a fronte, assai letterale, nell'intento di conservare
un minimo del sapore originario. Soltanto nel '28 Pirandello si decise a pubblicare *Liolà* in un'edizione unicamente italiana, inserita come tale nella raccolta delle
Maschere Nude. È un testo assai lontano dalla versione a
fronte del '17, ed è molto lontano anche dalla stesura in
dialetto. Molte le battute riscritte, numerosi i tagli. Ne
viene fuori una commedia assai impreziosita linguistica-
mente, letteraria, persino qua e là toscaneggiante. Di sicuro notevolmente meno efficace dal punto di vista artistico della redazione in agrigentino (come risulterà implicitamente da alcuni confronti che faremo più avanti
nel corso della nostra analisi). D'altra parte lo stesso Pirandello che, come direttore del Teatro d'Arte, ebbe
modo, fra il '25 e il '28, di rappresentare tutti i suoi
drammi in due o tre atti (con la sola eccezione di *Tutto
per bene*), evitò di mettere in scena *Liolà*. Che rimane
dunque un'opera legata strettamente alla *performance* di
un grande attore dialettale: Angelo Musco negli anni
Venti (si veda su di lui in Appendice il ritratto-bilancio
stesone nel '18 da Gramsci); Turi Ferro negli anni Sessanta, con due diverse edizioni del Teatro Stabile di Catania: la prima che esordì il 18 dicembre 1959, regia di
Accursio di Leo; la seconda che andò in scena il 26 marzo 1968, regia dello stesso Ferro (l'attore catanese rese
però un po' meno chiuso il dialetto pirandelliano proprio al fine di favorire la miglior comprensione di un
pubblico teatrale ormai di massa).

La fonte principale della commedia è notoriamente il quarto capitolo del *Fu Mattia Pascal*. È possibile fissare tutta una serie di equazioni fra personaggi del romanzo e personaggi della commedia: Mattia Pascal-Liolà, Malagna-zio Simone, Marianna-zia Croce, Romilda-Tuzza, Oliva-Mita. Ma Mattia Pascal è un Liolà che sposa la sua Tuzza e che soprattutto non ha i tratti fiabesco-dionisiaci del ragazzo-padre che si aggira per le campagne danzando e cantando con il suo corteggio di tre bambinetti. La carica vitalistica del protagonista emerge solo trasferendo in ámbito siciliano-contadino una vicenda che nel romanzo restava ambientata in una oppressiva Liguria di piccoli proprietari borghesi. Qualche spunto alla figura di Liolà viene infine da una novella del 1904, *La mosca*, dove si parla di un contadino, Neli Tortorici, soprannominato Liolà, prossimo a sposarsi, ben lieto di avere figli in quantità: «Dodici, ne voleva. E a mantenerli, si sarebbe ajutato con quel pajo di braccia sole, ma buone, che Dio gli aveva dato. Allegramente, sempre. Lavorare e cantare, tutto a regola d'arte. Non per nulla lo chiamavano Liolà, il poeta». Il sottotiolo dell'opera doveva essere inizialmente quello di «commedia rusticana» ma nello stampare presso Formìggini nel '17 Pirandello corresse in «commedia campestre». Forse per evitare che si pensasse alla verghiana *Cavalleria rusticana*, tanto più che anche nel finale di *Liolà* si snuda la lama di un coltello (ma Tuzza non riesce che a ferire superficialmente Liolà). Preoccupazione comunque significativa perché coglie indubbiamente una possibile chiave di lettura del testo.

Tra verismo e furore dionisiaco

In effetti *Liolà* sembra introducci subito, ad apertura di libro, entro le coordinate di una Sicilia molto tipicizzata. Casa colonica con sullo sfondo la campagna agrigen-

tina; un gruppo di donne rompono le mandorle e intanto, per spezzare la monotonia del lavoro, cantano in coro brani di una lauda dedicata alla Passione di Cristo,
sotto lo sguardo iroso del padrone, zio Simone, vecchio
ricco, angosciato di dover morire senza avere un figlio
cui lasciare la "roba". Il tema verghiano della "roba" ci
riporta appunto a una dimensione verista, al gusto del
ritratto di un mondo regionale, di una società determinata, di un'etica e di una moralità definite. Tuzza ha
fatto l'amore con Liolà, ed è quanto basta perché il
mondo sprofondi, almeno agli occhi della madre di
Tuzza: «Rispondi a me, scellerata: ti sei messa con lui?
[...] Infame! Infame! Ti sei perduta? [...] Io l'ammazzo,
io l'ammazzo. Tenetemi le mani, Signore, l'ammazzo!
Ha il coraggio di dire che sono io la colpa, svergognata!
io, perché m'ero messo in capo di darla in moglie a zio
Simone e perché – dice – l'aveva messo in capo anche a
lei!» (qui e sempre, salvo diverso avviso, le citazioni si
intendono tratte dai testi pirandelliani nell'edizione of-
ferta nel presente volume). È il cosmo chiuso della Sicilia arcaica, con i miti aspri di verginità per le donne e
con le ossessioni del denaro, gli intrighi dei clan fami-
liari. Rimasto vedovo di una prima moglie malaticcia,
che non gli ha dato figli, zio Simone ha voluto risposar-
si per avere appunto un erede cui lasciare i suoi beni. I
molti parenti che aspirano all'eredità hanno cercato in
qualche modo di attirare il vecchio. Zia Croce ha tentato di proporgli la nipote Tuzza. Ma zio Simone, per rispetto alla moglie morta, non ha voluto mettere al suo
posto nessuna della sua condizione e ha optato per una
povera orfana, Mita. Ha dimostrato così di essere inte-
ressato alla *madre* del proprio figlio nascituro piuttosto
che alla propria *moglie*. Ma Mita non può essere madre
perché il vecchio è presumibilmente sterile o forse anche impotente.

E qui, inaspettatamente, il verismo comincia a sfilac-
ciarsi, a evidenziare smagliature, faglie, passaggi poco

credibili e poco "veristici". Tuzza, invidiosa di Mita
che continua ad essere vagheggiata dal suo antico inna-
morato Liolà, si getta per dispetto fra le braccia di Liolà: «Quante cose doveva avere quella morta di fame?
Non bastava il marito ricco? Anche l'amante festoso?»
Tuzza resta incinta ma egualmente, curiosamente, non
accetta il matrimonio riparatore che pure Liolà le offre.
Architetta un piano avventuroso (convince zio Simone
a far passare per suo il figlio di Liolà) che non ha alcun
fondamento nella realtà. Un critico della prima del novembre 1916 osservò subito che zio Simone non aveva
motivo per accettare come suo il figlio di Tuzza dal momento che la legge vieta il riconoscimento dei figli adul-
terini e non li fa capaci di ereditare. E anche Liolà, per
parte sua, sfugge allo sforzo di riduzione al figurino del
lavoratore dei campi sociologicamente autentico. Può
entrare in scena con il suo vestito campagnolo di velluto, può cantare i suoi madrigali popolari e esibire le sue
danze, ma tutto questo resta folklore di superficie. Il
nucleo autentico di Liolà è quello di un giovane traboc-
cante di vita che se ne va in giro seducendo e ingravi-
dando le donne, incurante del codice della vita familiare e della sacralità dell'*onore* siciliano. È un insolito ragazzo-padre che si tiene i figli natigli dalle scorrerie sessuali con i quali improvvisa continuamente lirici ballet-
ti, inni alla gioia e alla vita piena di sole e di luce. Come
se tutte queste donne di Liolà non avessero padri, fratelli, parenti. Come se la pressione sociale del soffocan-
te microcosmo siciliano fosse improvvisamente esplosa
e azzerata.

Insomma *Liolà* va letto al di fuori di un'ottica rigidamente veristica. Alla dimensione storica di una Sicilia
di miseria, di fame, di sfruttamento, si sovrappone la
temperie fascinosa dei miti ancestrali. Liolà è un povero bracciante, ma il suo ritratto si stempera nella rasse-
renante certezza che l'uomo – l'uomo in gamba – trova
sempre lavoro e non rischia mai di morire di fame («So-

no buon massajo: garzone, giornante; mieto, poto, falcio fieno; fo di tutto e non mi confondo mai: sono, zia Croce, come un forno di pasqua, e potrei mantenere tutto un paese»). Se poi fame e miseria sono ricordate, è solo per negarle, per sommergerle sotto il peso di affermazioni vitalistiche tanto esaltanti quanto false ed astratte: «Angustie, fame, sete, crepacuore? / non m'importa di nulla: so cantare! / canto e di gioja mi s'allarga il cuore, / è mia tutta la terra e tutto il mare. / Voglio per tutti il sole e la salute; / voglio per me le ragazze leggiadre, / teste di bimbi bionde e ricciolute / e una vecchietta qua come mia madre». Al di là della facile evasione nel canto, la riaffermazione del valore tradizionale della madre sta come metafora di una più ampia madre, la Terra Madre, che, appunto, solo miticamente può essere "proprietà" di Liolà («è mia tutta la terra»). Ma la sigla ultima del personaggio è nella sua dirompente carica sessuale, nella sua mai appagata brama di «ragazze leggiadre» (sicché le «teste di bimbi bionde e ricciolute» valgono solo come testimonianza di quell'energia vitale), la quale rischierebbe di apparire grottesca («Cento ne vede e cento ne vuole» dice di lui un altro personaggio) se non fosse in realtà, semplicemente, emblema di una inarrestabile fecondità, tutta mitica, della natura che si rinnova continuamente. La vita di Liolà si ritma interamente sotto il segno di una costellazione *naturale*, fatta di sole, di acqua, di vento («Uccello di volo, sono. Oggi qua, domani là: al sole, all'acqua, al vento. Canto e m'ubriaco; e non so se m'ubriachi più il canto o più il sole»), con una preferenza per il vento che bene esprime la realtà irrefrenabile, gioiosa e trascinatrice di Liolà («Non come dice zia Croce, che suono e canzoni sono cose di vento. Se sono di vento, son cose mie; perché io e il vento, zio Simone, siamo fratelli»). Sicché non stupisce se la legge interna di questa «commedia campestre» è proprio quella del cerchio, del ritorno ciclico, uguale, sicuro. Tra il primo e il terzo atto è la figura del circolo a disegnarsi: primo e ultimo atto si rispondono con simmetria precisa. Nel terzo abbiamo «la stessa scena del primo atto»; là era settembre e le donne aiutavano zia Croce a schiacciare le mandorle; qui invece è tempo di vendemmia e di nuovo le donne aiutano zia Croce. Il senso del "ritorno", del ripetersi dell'uguale è trasparente nelle battute del dialogo: «Cara zia Croce, rieccoci qua!»; «Patti chiari. Faremo come l'altr'anno, eh?». E se nel primo atto c'era la fecondità espressa nella gravidanza di Tuzza, incinta di Liolà, nel terzo c'è la gravidanza di Mita, resa madre dallo stesso Liolà. È una continua fonte di fertilità, primigenia, irresistibile. In questa prospettiva si spiega e si giustifica il fallimento dell'omicidio di Liolà, tentato da Tuzza: appunto perché non si può uccidere, spegnere, la fecondità naturale, della Natura. Aveva ragione Gramsci, da questo punto di vista (ma solo da questo punto, perché per il resto esagerava nel caricare di responsabilità la *pièce*), a riallacciare *Liolà* alla «antica tradizione artistica popolare della Magna Grecia, coi suoi fliaci, coi suoi idilli pastorali, con la sua vita dei campi piena di furore dionisiaco, [...] è una efflorescenza di paganesimo naturalistico, per il quale la vita, tutta la vita è bella, il lavoro è un'opera lieta, e la fecondità irresistibile prorompe da tutta la materia organica».

Naturalmente tutto questo non significa necessariamente negare che possano esserci, a uno strato profondo del testo, alcuni spunti di critica sociale nei confronti dell'ideologia borghese della proprietà privata, ma si tratta di spezzoni di discorso che restano disarticolati e che tendono anzi ad essere illanguiditi nel contesto generale. Si veda ad esempio questo scambio di battute fra il bracciante Liolà e il ricco possidente zio Simone:

LIOLÀ   E come no? Anche questa legge possono mettere domani. Scusi. Qua c'è un pezzo di terra. Se lei la sta a guardare senza farci nulla, che le produce la terra? Nulla. Come una donna. Non le fa figli. – Bene. Vengo io, in questo suo pozzo di terra: la zappo; la concimo; ci faccio un buco; vi butto il seme: spunta l'albero. A chi l'ha dato quest'albero la terra? – A me! – Viene lei, e dice di no, che è suo. – Perché suo? perché è sua la terra? – Ma la terra, caro zio Simone, sa forse a chi appartiene? Dà il frutto a chi la lavora. Lei se lo piglia perché ci tiene il piede sopra, e perché la legge le dà spalla. Ma la legge domani può cambiare; e allora lei sarà buttato via con una manata; e resterà la terra, a cui getto il seme, e là: sfronza l'albero!

ZIO SIMONE   Eh, vedo che la sai lunga tu!

LIOLÀ   Io? No. Non abbia paura di me, zio Simone. Non voglio nulla io. Glielo lascio a lei di lambiccarsi il cervello per tutti i suoi danari e d'andar con gli occhi di qua e di là come le serpi.

L'ingiustizia sociale è colta, sì, per un attimo, ma per essere subito doppiamente rimossa: dall'attesa di un «domani» che cambierà le leggi di proprietà, da un lato, e dal rifiuto – gratuito e ingiustificato – di Liolà, dall'altro, di preoccuparsi dei «danari», pago solo di tenersi ben fermo alla sua dimensione di primordiale forza fecondatrice, come se poi anche la sua fecondità non fosse in ultima istanza strumentalizzata, alienata a Simone: Liolà non è padrone della terra che lavora (che appartiene a zio Simone); ma non è nemmeno padrone del figlio di Mita (che ha generato lui ma che apparterrà egualmente a zio Simone, legale e formale marito di Mita).

Un mito fondatore: la vergine madre e il divino fanciullo

La critica pirandelliana più attenta ha cominciato negli ultimi anni a riportare Pirandello al grande alveo della più illustre drammaturgia borghese di respiro europeo, quella che tra Ibsen e Strindberg porta avanti uno scandaglio accanito sul nodo capitale del rapporto fra maschio e femmina. In questa ottica un testo come *Liolà*, nonostante la sua patina superficialmente "dialettale", è importantissimo perché fonda, sin dal 1916, agli inizi insomma della creatività drammaturgica pirandelliana, uno dei miti portanti di tutta l'opera teatrale del nostro autore. È il mito dell'*uomo solo*, in dura opposizione alla donna, cui tenta di sottrarre continuamente brandelli di spazio vitale. Si pensi all'immagine indimenticabile del Leone Gala del *Giuoco delle parti*, filosofo accanito ma anche cuoco insuperabile, tenace organizzatore della propria autonomia di maschio autosufficiente, in guerra feroce, sino all'assassinio, con la "grande nemica", con la propria ex moglie. Ebbene, *Liolà* anticipa di due anni *Il giuoco delle parti*. Le donne del protagonista della commedia campestre sono riduttivamente «ragazzotte di fuorivia», da usare sessualmente e da lasciare. Liolà porta più a fondo di tutti la lotta contro la donna: la donna è espropriata non solo dello spazio della cucina ma anche del suo ruolo naturale e storico di allevatrice di figli. Liolà è uno straordinario ragazzo-padre che contesta alle donne il diritto alla maternità. Se ne va in giro per la campagna agrigentina trascinandosi dietro i suoi tre figli, frutto della sua furia procreatrice, ed è pronto ad accogliere anche il quarto, che sta per nascere da Tuzza. Che poi i tre figli siano tutti e tre maschi la dice lunga sulla pulsione fallocratica e maschilista del personaggio. Dà notare infine che proprio questo particolare della schiera dei tre figli e della condizione di ragazzo-padre costituisce il punto di maggior innovazione rispetto alla vicenda originariamente trattata nel *Fu Mattia Pascal*, a conferma del fatto che *Liolà* è cosa assolutamente originale e spontanea, al di là degli elementi di contatto con la matrice narrativa. *Liolà* è la *rêverie* delirante e inconfessata del grande maschio

solitario, è l'utopia di una "società senza madri", in cui
i figli nascano direttamente dal grembo dei padri, o, al
massimo, in cui la donna sia soltanto il ricettacolo tem-
poraneo — per i nove mesi indispensabili — del seme
dell'uomo.

Ma se il protagonista autentico del teatro pirandelliano è l'*uomo solo*, il palcoscenico risulta poi paradossalmente colmo di personaggi femminili. Diciamo allora
che tutte queste donne sono la proiezione esterna di un
occhio maschile, le immaginazioni fantasmatiche dell'e-
roe maschio. E s'impone subito la visione tipica della
donna nell'universo pirandelliano, la schizofrenia fra
una donna come oggetto sessuale, elemento carnale, in
qualche modo infernale, e una donna portatrice di valo-
ri spirituali, che si riassume essenzialmente nel profilo
della madre, di una madre declinata sempre come "santa", al di sopra dell'osceno commercio con il sesso. Accanto a Liolà c'è infatti, non a caso, una madre *vedova*,
privata con ciò stesso di ogni funzione erotica, che non
esiste se non nel quadro della maternità: una donna soltanto madre di cui il figlio può appropriarsi interamente, risolvendo così il proprio complesso d'Edipo con l'e-
liminazione della sua causa. Ma se Liolà si esibisce in
performances di danza e di canto con i suoi figlioletti, è
poi sua madre che concretamente, materialmente, se ne
occupa (dirà a proposito del figlio nascituro di Tuzza:
«Bene, non ho difficoltà. Crescerà il da fare a mia madre. Il figlio, lo dica pure a Tuzza, zia Croce, se me lo
vuol dare, me lo piglio!»). Sicché giustamente Jean
Spizzo ha definito Liolà, da questo punto di vista, nel
rapporto con i figli, «piuttosto un fratello maggiore, più
o meno incestuoso, dato che è la propria madre a tirarli
su». *Liolà* dà cioè corpo a un segreto sogno del maschio
italiano del profondo Sud, quello di vivere in un legame
organico con la propria madre, senza rimorsi e senza ri-
serve, secondo uno schema che rinvia all'iconografia
cattolica più che alla società patriarcale. È il triangolo

magico della Vergine, del Bambino e di San Giuseppe. Per dirla con le parole provocatorie di un geniale regista pirandelliano dei nostri giorni, Massimo Castri: «la Madonna non ha sesso; concepisce da un maschio assente senza aver provato piacere; il suo Sposo, come per tutte le donne cattoliche, è in realtà il figlio, non il marito». Liolà evade dall'ombra materna solo per dare sfogo ai propri bassi appetiti fisiologici, ma con un movimento di continuo e perenne ritorno alla centralità costituita dalla madre. È a lei che riporta i frutti delle sue scorribande sessuali perché è lei sola – in quanto "madre santa" – a possedere le qualità spirituali richieste per allevarli ed educarli.

Questa polarità di fondo fra donne degne e donne indegne non contrappone solo la madre di Liolà alle ragazzotte di fuorivia che hanno generato il tre pargoli di Liolà. La commedia è stracolma di figure femminili (quasi solo figure femminili, se si eccettuano i personaggi di Liolà e di zio Simone), ma tutte si ridistribuiscono sotto le due grandi coordinate indicate. Comare Gesa, zia di Mita, "raddoppia" zia Ninfa, la madre di Liolà (ha allevato Mita nell'onestà e nel timore di Dio), ma zia Croce e sua figlia Tuzza si collocano automaticamente sul versante delle donne di malaffare. Dirà proprio comare Gesa: «E in galera anche quelle due infamacce, madre e figlia! Sgualdrine!». L'originale in agrigentino ribadiva l'ingiuria: «Cajordi! Cajordi!». E così pure la Moscardina condannava «lu 'ngannu di sti due' cajordi, matri e figlia» (nel testo in lingua la violenza lessicale si attenua: «l'inganno di quelle due schifose, madre e figlia»). Tuzza in particolare ha tratti infernali. Quando si accinge a esporre il suo disegno di far passare zio Simone come padre del figlio nascituro, «gli occhi le s'accendono di malizia». La stessa madre le dice: «Tu sei il diavolo! Tu sei il diavolo!». Nel caso migliore la paragona a Maria Maddalena, cioè a un'immagine di prostituta (per quanto pentita). Anche le didascalie colgono il risvolto animalesco, bestiale, di Tuzza: «attrivita comu 'n bestia feroci», ardita come una bestia feroce (la traduzione in lingua smorza, come sempre: «impronta e fiera»). C'è persino un'ombra sinistra di infanticidio che incupisce il profilo "nero" di Tuzza. Dice alla fine Liolà: «Quannu lo fai, nun lu fari muriri. / Tri, e unu quattru – e cci 'nsignu a cantari!» [«Quando lo fai, non lo fare morire. Tre e uno quattro – e gli insegno a cantare»]. Ancora una volta la versione in lingua lascia cadere l'oltranza e la durezza originaria: «Quando ti nascerà, dammelo pure. / Tre, e uno quattro! Gl'insegno a cantare».

La forza costrittiva di questa alternativa antagonistica fra "donna buona" e "donna cattiva" è ribadita paradossalmente dal personaggio di Mita che, pure, ha, *in nuce*, la possibilità di unificare gli estremi, di rappresentare per Liolà l'esempio di una vita riconciliata, di gettare un ponte fra il disprezzo e la venerazione, fra il corpo e lo spirito, fra l'amore fisico e l'amore spirituale, riuniti nella stima e nella tenerezza. Mita non appartiene in teoria né alla categoria degli oggetti sessuali (ha sempre rifiutato di cedere a Liolà, sia prima che dopo il matrimonio con zio Simone, meritando così il rispetto di Liolà), né alla categoria delle madri, elevate dalla loro maternità al rango di "sante". Ma, come quasi sempre in Pirandello, fra le due soluzioni estreme *tertium non datur*. Fra Mita e Liolà avrebbe potuto essere amore vero, autentico, "normale", ma ormai i giochi sono fatti, e non è più possibile. Resta, al massimo, il tempo breve di un sospiro di nostalgia, come in questo passaggio:

LIOLÀ [...] Cose da bambini! cose che potevano venire in mente a te e a me, quando qua, in quest'orticello, giocavamo agli sposi e ogni tanto ci strappavamo i capelli e correvamo a fare i raffronti davanti a tua zia o a mia madre, ti ricordi?

MITA   Mi ricordo sì. Ma non è stata colpa mia, Liolà! (L'ho detto or ora a tua madre.) – Dio sa dove avevo io il mio cuore, quando sposai...

LIOLÀ   Lo so anch'io, Mita, dove l'avevi. – Ma questo ora non c'entra. Ti sei maritata; non se ne parla più.

Al di là dei rimpianti rimangono e incombono le "funzioni", quella della madre e quella della donna di piacere. Mita è personaggio "fuori di chiave" perché non riesce ad essere né l'una né l'altra. Vorrebbe essere madre, ma come la Vergine Maria, senza il peso dell'atto sessuale. Potrebbe apparire, la nostra, solo una provocazione di dubbio gusto, se non fosse una precisa battuta di Liolà, persino ripetuta. Dice Mita che a lei ci penserà Dio, e Liolà, di rimando: «Dio, già. – Ci dovrebbe pensare. – Ci pensò una volta. – Ma per quanto buona tu possa essere, timorata, rispettosa di tutti i santi comandamenti, certo non puoi osare di paragonarti alla Vergine Maria. [...] Scusa, se dici che deve pensarci Dio! Come? Per virtù dello Spirito Santo?». E poco dopo, di nuovo:

MITA   Ma se Dio, a me, questa grazia [di avere un figlio] non ha voluto farmela?

LIOLÀ   E se tu aspetti che piòvano fichi! Lo vorresti sul serio da Dio? Poi dici che bestemmio!

L'originale, come sempre, è più forte ma anche più chiaro: «o chi vi l'avi a mannari Diu senz'èssiri Maria Santissima!». D'altra parte il sistema di riferimenti alla Vergine è costante in tutta la commedia, ben oltre l'evidenza flagrante di questi due scambi dialogici. Il primo atto si apre proprio sull'invocazione a Maria. Le donne cantano la Passione, ma con allusione al dramma della madre di Gesù: «E Maria dietro le porte / nel sentire le scurìate: / 'Non gli date così forte, / sono carni delicate!». E quando ha la falsa notizia che il marito attende un figlio da Tuzza, Mita «fa come una Maria, con le mani nei capelli!» (sempre preferibile l'originale: «Si pila tutta!», cioè si strappa tutti i capelli). Ci sono poi almeno una decina di casi in cui la Vergine è richiamata come vocativo d'esclamazione ma che non risultano dalla versione in italiano perché cassati o perché l'invocazione registra un passaggio dal femminile al maschile, dalla Vergine a Dio. Solo un paio di esempi, uno per tipo. «Maria Santissima, chi galantaria!» diventa «Che galanteria!»; e «Oh Maria, pazza mi pari...» si ribalta in «Oh Dio! Mi pare impazzita, mi pare!».

Certo non si può negare che la notte d'amore di Mita con Liolà si presenta come un *unicum*, non innesca una tresca adulterina. Diventata madre, Mita non sarà altro che madre. La maternità come prova iniziatica che le permette di accedere a un altro piano, a un altro universo, infinitamente superiore a quello "basso" della funzione erotica. Si pensi alla didascalia che ritrae Mita quando entra in scena nel terzo atto, ormai incinta: «A questo punto appare dal fondo Mita, placidissima» (l'originale, al solito, è più gustoso: «plàcita plàcita»). Abbiamo qui un altro postulato fondamentale per la drammaturgia pirandelliana: il destino della donna è di superare lo stadio del piacere per raggiungere quello del dovere, è di passare dall'atto sessuale all'atto della procreazione. Un anno dopo *Liolà* sarà *Il piacere dell'onestà* a esplicitare il messaggio: «in voi, per forza, con la maternità, l'amante doveva morire. – Ecco, voi non siete più altro che madre». Il compito quasi miracoloso (da Spirito Santo...) di Liolà consiste proprio nello strappare Mita dalla sua condizione "fuori di chiave" e nell'inserirla al grado alto della missione materna. Si faccia attenzione al particolare – veramente miracoloso! – per cui è sufficiente un solo incontro sessuale per determinare la gravidanza di Mita. Anche in questo senso *Liolà* è un testo archetipico. Quante volte infatti non si ripete lo stupefacente evento nell'opera pirandelliana? *L'in-*

nesto, La vita che ti diedi... È il sintomo più clamoroso che il sesso è unicamente al servizio della procreazione. Esattamente come nella più rigida interpretazione della religione cattolica. Ed è questo un paradosso ancora tutto da ripensare e da indagare come dimostrano gli interventi della critica pirandelliana più recente (si veda il suggestivo libro di Umberto Artioli citato in Bibliografia): un autore orgogliosamente ateo che apre però continuamente la propria scrittura e i propri fantasmi tematici – inconsciamente ma anche consciamente, come dimostra l'Artioli – alle suggestioni del sacro e dell'ideologia cattolica.

La stanza della tortura: «Così è (se vi pare)»

Terminata la stesura di *Liolà* nel settembre del '16, Pirandello compone, sempre in agrigentino, *La giara* (probabilmente nell'ottobre). Sa di aver esaurito la sua razione di testi siciliani per Musco, e si illude di poter ritornare alla più amata narrativa, in particolare al romanzo *Uno, nessuno e centomila* (che comincerà invece a essere pubblicato su rivista soltanto nel 1925). In realtà il teatro si è ormai impossessato di Pirandello e lo occupa pienamente. Nel gennaio del '17 il periodico teatrale «Il Tirso» dà per primo la notizia che Pirandello sta lavorando a un nuovo progetto: «*Così è (se vi pare)*: è lo strano titolo di una originalissima commedia che sta scrivendo Luigi Pirandello. [...] I tre atti finiscono tutti allo stesso modo: un silenzio e una risata». Secondo Alessandro D'Amico Pirandello la compone, con molta probabilità, fra il marzo e l'aprile del '17. Il 18 aprile scrive al figlio Stefano: «Ho finito la mia parabola in tre atti *Così (se vi pare)*, che a giudizio degli amici è la miglior cosa che io abbia fatto finora. Credo anch'io così. Non è difficile che la rappresenti Ruggero

Ruggeri il prossimo maggio qua a Roma. Te ne terrò informato. È una gran diavoleria, che potrà avere veramente un grandissimo successo. Ora, attenderò a finire *Il piacere dell'onestà*. Come vedi, la parentesi drammatica non si chiude ancora». Ruggeri sarà il fortunato interprete del *Piacere dell'onestà* ma rinuncerà a mettere in scena *Così è (se vi pare)*, scusandosi di non avere la compagnia "di complesso" adeguata. In effetti il *Piacere dell'onestà* è testo costruito alla vecchia maniera, con una grandissima parte da primo attore; il *Così è* invece è una macchina drammaturgica essenzialmente *corale*, con nessuna parte per la prima attrice (solo poche battute in finale ha la signora Ponza) e per il primo attore la parte di Laudisi che è più il *raisonneur*, non certo il protagonista. Lo metterà in scena Virgilio Talli, chiedendo alla prima attrice della sua compagnia, Maria Melato, allora di 32 anni, di calarsi nel personaggio dell'anziana signora Frola (ma si veda in Appendice l'interessante scambio di lettere fra Pirandello, Ruggeri e Talli). Talli d'altra parte è l'uomo giusto, il teatrante che con maggior vigore si batte per il superamento dei ruoli fissi, legati alla riconoscibilità anagrafica (nel 1904, per la prima della *Figlia di Iorio* ha chiamato la ventitreenne Teresa Franchini a sostenere la parte della madre, di Candia della Leonessa).

L'intreccio del *Così è* ruota intorno allo sterile tentativo di una intera comunità di provincia di chiarire se è pazzo il signor Ponza o la signora Frola, sua suocera, in relazione all'identità della moglie di Ponza: figlia della signora Frola, secondo quest'ultima; non figlia della signora Frola, in quanto sua seconda moglie, come asserisce invece il signor Ponza. Pirandello si preoccupa di definire il quadro di un preciso contrasto di classi sociali. L'enigma del misterioso Terzetto (Ponza, sua moglie, Frola) è prima di tutto il dramma di un povero «subalterno», del nuovo segretario di Prefettura, ed è il piccante oggetto dell'interesse e della curiosità di un ceto egemone ozioso e crudele. Significativo è l'attacco del primo atto, ad apertura di sipario:

LAUDISI   Ah, dunque è andato a ricorrere al Prefetto?

AMALIA   (*sui quarantacinque, capelli grigi; contegno d'importanza ostentata, per il posto che il marito occupa in società.
Lascerà tuttavia intendere che, se stesse in lei, rappresenterebbe
la sua parte e si comporterebbe in tante occasioni ben altrimenti*) Oh Dio, Lamberto, per un suo subalterno!

LAUDISI   Subalterno, alla Prefettura; non a casa!

DINA   (*diciannove anni; una cert'aria di capir tutto meglio della
mamma e anche del babbo; ma attenuata, quest'aria, da una
vivace grazia giovanile*) Ma è venuto a allogarci la suocera
qua accanto, sullo stesso pianerottolo!

LAUDISI   E non era padrone? C'era un quartierino sfitto, e
l'ha affittato per la suocera. O ha forse l'obbligo una suocera di venire a ossequiare in casa

caricato, facendola lunga, apposta

la moglie e la figliuola d'un superiore di suo genero?

AMALIA   Chi dice obbligo? Siamo andate noi, mi pare, io e
Dina, per le prime da questa signora, e non siamo state ricevute.

LAUDISI   E che è andato a fare adesso tuo marito dal Prefetto? A imporre d'autorità un atto di cortesia?

AMALIA   Un atto di giusta riparazione, se mai! Perché non si
lasciano due signore, lì come due pioli, davanti alla porta.

LAUDISI   Soperchierie, soperchierie! Non sarà dunque permesso alla gente di starsene per casa sua?

Sin dall'inizio – non solo nel dialogo ma persino nella
didascalia relativa ad Amalia – si impone lo stacco fra la
posizione "dirigente" del consigliere Agazzi (e dietro di
lui di tutto un mondo di superiori gerarchici: il prefet-

to, il commissario) e la posizione "subalterna" del povero impiegato signor Ponza. Una contrapposizione, questa, che è ribadita insistentemente lungo l'intero arco del testo, attraverso battute ripetute e martellanti dei personaggi che ricordano in ogni momento, con iattanza, la propria condizione di "superiori". È proprio dunque a partire da questa frattura fra individui alto borghesi e individui piccolo borghesi, tra superiori e inferiori, che si determina lo specifico drammatico di *Così è*, configurantesi secondo il modulo del "dramma giudiziario". Il salotto borghese del consigliere Agazzi si trasforma in uno spazio ambiguo, sinistro, che sta tra l'aula del tribunale e la camera di tortura, come ha ben visto Giovanni Macchia, il quale insiste a ragione su questa prospettiva di processo, di palcoscenico che diventa un «poliziesco luogo di tortura». Le parole tematiche sono giustappunto «interrogatorio», «inquisizione», «tormentare», «supplizio», «violenza», «vessazione». Si spiega così la costruzione meccanica, estremamente artificiosa e convenzionale dell'opera. In I,4 è in scena la signora Frola, che espone il suo punto di vista e definisce pazzo il genero; in I,5 è appena uscita la suocera che entra il genero, che dichiara invece pazza la donna; e in I,6 è appena uscito il signor Ponza che ritorna la suocera a ribadire la pazzia dell'uomo. Non si tratta tanto di esigenze teatrali di concentrazione, tali da portare a sopprimere il lasso temporale di un giorno che nella novella-fonte intercorre fra il primo intervento della suocera e il primo del genero. Questo movimento incessante di entrata-uscita dei personaggi deve far pensare piuttosto al movimento tipico di un tribunale dove imputati e testi sono introdotti in successione immediata. È la "convenzione" dell'aula di giustizia che determina questo ritmo vagamente burattinesco, un po' irreale.

D'altra parte è proprio e solo in siffatta prospettiva critica – di teatro giudiziario – che si spiega la scansio-

ne degli atti la quale obbedisce alle regole di una inten-
sificazione progressiva: nel primo atto i due imputati
sono visti separatamente, isolatamente; nel secondo invece sono posti direttamente a confronto; e nel terzo il
confronto è rinnovato con il rinforzo del "superteste",
della moglie di Ponza che dovrebbe chiarire, alla fine,
una volta per sempre, chi dei due sia pazzo. La verità
tuttavia non emerge. Pirandello costruisce tutto il
dramma sullo schema dell'inchiesta giudiziaria, del
"giallo", ma nega da ultimo lo scioglimento canonico in
tali strutture: non c'è chiave all'enigma, non c'è la vittoria dell'uno sull'altro dei due contendenti, non c'è ri-
soluzione della tensione da parte dei "giudici" che non
sono riusciti in nessun modo a pervenire a una qualche
conclusione, nemmeno indiziaria, ipotetica. I personaggi piccolo borghesi sono continuamente braccati, per
tutti e tre gli atti, costantemente costretti sulla difensi-
va, asserragliati nel chiuso sistema dei loro rapporti
"strani", ma, sia pure *in extremis*, riescono pur sempre a
evitare la resa dei conti. Schiacciati da una realtà che li
opprime, si sono inventati una rete di fantasie e di
"giochi" privati (la signora Ponza che è contemporaneamente la figlia della signora Frola e la seconda moglie
del signor Ponza – come ciascuno dei due la crede – e
per sé non è nessuna) intorno ai quali si arroccano im-
pedendo all'avversario di dare scaccomatto.

Un manifesto del pirandellismo?

Non sarebbe equo in effetti negare una pregnanza di
vita e di sentimento alla battuta finale della signora
Ponza («Per me, io sono colei che mi si crede»). Non
siamo di fronte a un puro filosofema, a uno «sgambetto
logico» come diceva Gramsci recensendo lo spettacolo.
Questa dichiarazione della signora Ponza nasce dal tes-
suto di un mondo d'amore chiuso, di un dolore segreto,

custodito con tenacia nella clandestinità. Ritroveremo più avanti slanci similari in altre figure pirandelliane, ad esempio nell'Ignota di *Come tu mi vuoi*, che accetta appunto di essere ciò che non è, di fingersi la moglie che gli eventi tragici della grande guerra hanno strappato ad un uomo, dal momento che il marito crede di aver ritrovato in lei la consorte perduta. C'è insomma una radice profondamente umana che sostiene simili affermazioni, apparentemente solo paradossali. E tuttavia è anche vero che in *Così è* Pirandello non è riuscito a costruire il proprio testo come prolungamento genuino e spontaneo di questo nucleo autentico di vita. L'Ignota di *Come tu mi vuoi* è un grande personaggio drammatico; la signora Ponza fa il suo ingresso avanzando «rigida, in gramaglie, col volto nascosto da un fitto velo nero, impenetrabile». Nel salotto borghese irrompe improvvisamente la sacerdotessa di antichi misteri, la fedele della religione del relativismo. Ha il volto velato perché la verità non può essere conosciuta. Pirandello costruisce i suoi tre atti con una clausola finale che ritorna identica. Ogni volta un «silenzio» che esprime il disagio e lo sgomento dei "giudici" e degli "inquirenti"; e ogni volta Laudisi che si fa in mezzo, lancia il suo ironico commento e sigilla l'atto con una forte risata. In tutti e tre i casi il commento è centrato sul tema della verità: «Vi guardate tutti negli occhi? Eh! La verità?» (primo atto); «Ed ecco, signori, scoperta la verità!» (secondo); «Ed ecco, o signori, come parla la verità!» (terzo). C'è il gusto scoperto della sfida, della scommessa. Pirandello mira a congegnare una macchina perfettamente armonica, con tre finali d'atto identici, per valorizzare viepiù il paradosso di una verità che non può essere percepita, afferrata. Affida a un personaggio, Laudisi, il compito di sottolineare con enfasi l'inanità degli sforzi degli investigatori. Ma proprio l'insistenza e la meccanicità della formula non possono evitare di evidenziare quanto di costruito, di artificioso, ci sia nel testo. Pirandello è incantato dalla propria bravura e non riesce a guardare con distacco ai limiti della sua opera. Già l'annuncio comparso su «Il Tirso», ricordato all'inizio, "orientato" sicuramente dallo stesso Pirandello, puntava a esaltare il gioco simmetrico dei tre atti che «finiscono tutti allo stesso modo: un silenzio e una risata». E la lettera al figlio Stefano, parimenti già citata, metteva in primo piano la caratteristica di «gran diavoleria».

Non stupisce quindi che *Così è* abbia finito per essere letto essenzialmente come il manifesto della cosiddetta "filosofia" pirandelliana, della sua visione del mondo fondata sul relativismo e sul solipsismo. Il *Così è* come monumento insomma del "pirandellismo", cioè di quel coacervo di riflessioni vagamente filosofeggianti che dagli anni Venti, auspice Adriano Tilgher, si sono prolungate, con grande fioritura, quasi sino a noi. La fortuna della *parabola* (sottotitolo scelto non casualmente da Pirandello, a rimarcare il taglio dimostrativo, più logico-raziocinante che fantastico, dell'opera) è notevole, soprattutto all'estero. Nel corso dei tre anni di vita del Teatro d'Arte è lo spettacolo più rappresentato, subito dopo il capolavoro celeberrimo dei *Sei personaggi*. Ancora oggi, se si fa una indagine statistica sui testi più venduti delle *Maschere Nude*, si scopre che dopo *Sei personaggi* e *Enrico IV* l'opera più richiesta è proprio il *Così è*. Il riscontro di pubblico e il consenso dei lettori non è legato cioè, evidentemente, alle qualità strettamente poetiche del dramma, inferiore come tale a tanti altri, ma alle sue caratteristiche di scrittura esemplare della rivoluzione *pirandellista*.

Resta in ogni modo il fatto che Pirandello fece tesoro delle numerose verifiche offerte dalla scena negli otto anni che intercorrono fra l'esordio della parabola, a Milano il 18 giugno 1917 (le prime stampe sono invece del 1918) e la «nuova edizione riveduta e corretta» che esce nel 1925, e che è sostanzialmente la base dell'edizione

definitiva. Compaiono quasi un centinaio di nuove didascalie, tese spesso a cogliere un segno stilistico-regi-
stico, ma anche le battute subiscono ritocchi (nuovi effetti comici, trovate teatrali *ad hoc*). Di particolare si-
gnificato è la leggera trasformazione che patisce il finale, quando arriva la signora Ponza, presente anche la
signora Frola a insaputa del marito:

PONZA   Ah! Questo hanno fatto? L'avevo detto io! Si sono
    approfittati così, vigliaccamente, della mia buona fede?
SIGNORA PONZA   (*volgendo il capo velato, quasi con austera
    solennità, verso il marito*) Non temere! – Non temere! Con-
    ducila via... – Andate, andate...
SIGNORA FROLA   (*si stacca subito, da sé, tutta tremante, umi-
    le, dall'abbraccio, e accorre premurosa a lui*) Sì, sì... andia-
    mo, caro, andiamo... andiamo...

    E *tutti e due abbracciati, carezzandosi a vicenda, tra due di-
    versi pianti, si ritirano.*

                                              (prima edizione 1918)

PONZA   Ah! L'avevo detto io! Si sono approfittati così, vi-
    gliaccamente, della mia buona fede?
SIGNORA PONZA   (*volgendo il capo velato, quasi con austera
    solennità*) Non temete! Non temete! Andate via.
PONZA   (*piano, amorevolmente, alla signora Frola*) Andiamo,
    sì, andiamo...
SIGNORA FROLA   (*che si sarà staccata da sé, tutta tremante,
    umile, dall'abbraccio, farà eco subito, premurosa, a lui*). Sì,
    sì... andiamo, caro, andiamo...

    E *tutti e due abbracciati, carezzandosi a vicenda, tra due di-
    versi pianti, si ritireranno bisbigliandosi tra loro parole affet-
    tuose.*

                                              (edizione definitiva)

Nel '18 la signora Ponza mostra di avere un punto di
riferimento privilegiato nel marito («Non temere! Con-

ducila via...»); nel 1925 c'è un gioco più ambiguo, a tutto campo, che coinvolge il signor Ponza e la signora Frola contemporaneamente («Non temete! Andate via»). E questo diverso rapportarsi dell'Ignota nei confronti degli altri due vertici del misterioso triangolo determina a sua volta una modificazione della relazione fra i due. Nasce una didascalia nuova, che ci evidenzia il signor Ponza mentre parla «piano, amorevolmente, alla signora Frola». E la didascalia conclusiva accentua ancora più il senso di solidarietà, di pietosa complicità reciproca: «bisbigliandosi tra loro parole affettuose» (che non c'era nel '18). Pirandello perfeziona la propria macchina strutturale, contrappone con maggior coerenza interna il suo notturno Terzetto alla restante comunità. Lavora soprattutto accumulando spezzoni inediti di didascalie, che non si limitano a suggerire gesti e movimenti agli attori, ma rafforzano viepiù la forza simbolica di questo momento epifanico. Rimasta sola, dopo l'uscita dei due, la signora Ponza domanda ai curiosi che cosa possono ancora volere da lei. Nel '25 però Pirandello aggiunge preliminarmente questa didascalia: «dopo averli guardati attraverso il velo, dirà con solennità cupa». Da un lato viene ribadita l'assoluta impenetrabilità della donna, sottratta dalla intermediazione del velo allo sguardo dei profani (e già questo suggerisce l'assunzione della donna a dea, "dea della Verità"); dall'altro lato la «solennità cupa» riconferma che siamo in presenza di un momento alto, sacrale, la visione appunto della Verità. Stesso discorso per un'altra didascalia che compare di bel nuovo subito dopo, e che scolpisce ancora il modo ieratico di porgere le battute della signora Ponza: «con un parlare lento e spiccato». Il lavorìo di cesello delle didascalie aggiunte definisce anche meglio l'attitudine di disorientamento del coro di fronte alla "dea della Verità". Nell'edizione originale del '18 avevamo una battuta semplicissima della signo-

ra Ponza: «Che cosa? La verità: è solo questa: che io sono, sì, la figlia della signora Frola, – e la seconda moglie
del signor Ponza; sì, e per me nessuna! nessuna!». Nella
stesura ultima diventa:

SIGNORA PONZA   (*con un parlare lento e spiccato*) Che cosa?
    la verità? è solo questa: che io sono, sì, la figlia della signo-
    ra Frola –
TUTTI   (*con un sospiro di soddisfazione*) – ah!
SIGNORA PONZA   (*subito c.s.*) – e la seconda moglie del si-
    gnor Ponza –
TUTTI   (*stupiti e delusi, sommessamente*) – oh! E come?
SIGNORA PONZA   (*subito c.s.*) – sì; e per me nessuna! nessu-
    na!

La sostanza del dialogo rimane la stessa, ma è proprio
l'inserimento delle specifiche indicazioni didascaliche
che organizza il bilanciamento tra la fragilità psicologica ed emotiva della massa anonima di spettatori, incerti
e oscillanti fra soddisfazione, stupore e delusione, e la
saldezza fideistica di questa sacerdotessa della laica religione del relativismo che è diventata la signora Ponza,
la quale si esprime continuamente «con un parlare lento
e spiccato» (l'abbreviazione *c.s.* significa "come sopra",
come detto cioè nella prima didascalia, appunto «con
un parlare lento e spiccato»).

Non va infine sottovalutato, nel quadro complessivo
delle forze che giustificano il solidificarsi del *Così è*
quale monumento del pirandellismo, il peso esercitato
dal personaggio di Laudisi. Secondo il sistema teatrale
ottocentesco dei "ruoli", da cui Pirandello non può non
partire, Laudisi è la tipica figura del "brillante", di co-
lui cioè che introduce – come indica il nome – una nota
più leggera nei testi seri (e che nei testi comici assume
la funzione di motore dinamico della vicenda). Il Laudisi pirandelliano è un brillante che coniuga le qualità tradizionali del ruolo con quelle, più ironiche e sottili, del

raisonneur, portavoce evidente dell'autore stesso. Pirandello imposta con Laudisi un processo suscettibile di sviluppi importanti. Il brillante-*raissoneur* finirà per diventare ben presto ruolo di "primo attore", per avocare a sé funzioni di protagonista. Il Baldovino del *Piacere dell'onestà*, il Leone Gala del *Giuoco delle parti*, l'anonimo interprete dell'*Enrico IV* sono tutti eroi di primaria grandezza, che si impongono per l'originalità del loro personaggio, figura che riflette, teorizza, ma anche opera, agisce. Leone Gala e Enrico IV si lasciano talmente coinvolgere dall'azione da arrivare praticamente all'omicidio. Sono dei brillanti così originali da non aver paura di sfidare l'aura della tragedia. Rispetto a siffatto punto d'arrivo è però doveroso riconoscere che Laudisi si limita per il momento a indicare soltanto una linea di tendenza. Preso in mezzo fra gli inquisitori e gli inquisiti, fra i carnefici e le vittime, Laudisi risulta abbastanza marginale, un po' sbiadito, relegato a un compito ancora elementare di commento esterno, di "mente senza una azione".

La prova del palcoscenico: verifiche e nuove proposte

Il tentativo di sottrarre *Così è* all'ipoteca pesante del pirandellismo ha registrato momenti di riscontro importanti nella storia della messinscena. Un posto capitale merita l'edizione di Giorgio De Lullo (la prima è del 16 marzo 1972) con Romolo Valli-Laudisi, Paolo Stoppa-Ponza, Rina Morelli-Frola, che accetta pienamente la chiave interpretativa sociologica, puntando tutto sulla persecuzione di un gruppo sull'altro. Il trio dei coniugi Ponza e della signora Frola diventa rappresentativo dei "diversi", oppressi e tormentati perché "diversi". Il regista attualizza bruscamente la portata esemplare della vicenda, ponendo al collo della signora Frola e della signora Ponza una medaglia in cui è riconoscibile la stella di Davide. I protagonisti di *Così è* soggiacciono alla violenza inquisitoriale della comunità perché sono una minoranza che non vuole integrarsi, che vuole mantenere una propria compattezza di gruppo. Il mondo dei carnefici è invece abbigliato nei costumi d'epoca degli anni Venti, maschere caricaturali di una borghesia che è quella acremente satireggiata da un Grosz. Si fa eccezione naturalmente per Laudisi, che formalmente appartiene a quello stesso salotto borghese, ma dal quale si autoemargina. Laudisi è la coscienza infelice di questo ceto dirigente. Se tutti i personaggi maschili hanno camicie con colletti duri, inamidati, e vestiti rigidamente d'epoca, Romolo Valli indossa invece abiti moderni, nostri contemporanei, che "staccano" quindi, anche dal punto di vista esteriore, rispetto al coro dei curiosi e dei malvagi. La sua partecipazione solidale nei confronti degli umili forza i limiti previsti dal testo. Secondo Pirandello Laudisi per tre volte, nel finale di tutt'e tre gli atti, irride clamorosamente i propri compagni di classe, pur continuando peraltro a restare all'interno del salotto borghese. Nello spettacolo di De Lullo viene invece meno la terza risata. Arrivato all'ultimo atto, giunto alla visione traumatizzante dell'estrema crudeltà cui i persecutori hanno sottoposto i tre poveri sventurati, il *raisonneur* non può più limitarsi a un dissenso affidato unicamente alle parole e allo sghignazzo. Dopo un attimo di silenzio il Laudisi di Valli, che non ride più, imbocca lo stesso corridoio da cui sono usciti Ponza, Frola e l'Ignota ed esce di scena. Forse non va necessariamente a raggiungere i tre disgraziati, ma certamente opera una separazione più netta fra sé e il resto della comunità, evade in definitiva dal salotto borghese, lo nega e lo respinge.

Una variazione di rilievo è costituita poi dalla messinscena di Giancarlo Sepe (debutto nel novembre 1982) che si avvale di un incardinamento scenografico

molto suggestivo e molto "spiazzante" (una grande scala nera stretta fra pareti a strapiombo, con i personaggi
che compaiono all'improvviso, da fessure laterali, o
scendendo dall'alto, o salendo dal basso, che tendono a
braccare le due vittime, costringendole appunto a mon-
tare o a discendere, qualche volta prendendole in mezzo, serrandole da sotto e da sopra contemporaneamente). È il superamento *d'emblée* di quel tanto di prospettiva naturalistica che permane in *Così è*. La scala come
metafora interessante: una scala musicale, in cui la *verità* ha sempre una nota diversa; ma anche una strana
scala-prigione, uno spazio chiuso che ha l'apparenza di
essere aperto. I personaggi possono fuggire in alto o in
basso, hanno un margine da percorrere, ma arrivano
sempre *alla fine*; c'è comunque un ultimo gradino oltre
cui non possono andare. Se dunque l'impianto ci porta
a un livello intensamente astratto, quasi metafisico, ciò
non toglie che si tratta in definitiva di un modo nuovo
di dire quella "stanza della tortura" di cui ha parlato
Giovanni Macchia. Il dramma pirandelliano è ancora –
per Sepe – una storia di violenza di certuni su pochi individui isolati, emarginati. Ma le musiche di Arturo
Annecchino, insistenti, martellanti, un po' da "giallo",
da romanzo poliziesco, sono decisive nel trasformare
l'impressione complessiva che il testo suscita in questo
allestimento. Viene meno infatti il risvolto un po' pesante, sofistico, che c'è nel dialogare di *Così è*, e sembra
vincente l'intuizione che è anche possibile raccontare
Pirandello *per musica e per geometrie spaziali*, all'interno
di un'operazione registica che riporta alla luce la strut-
tura profonda – da *thriller* giustamente – della parabola
pirandelliana.

Fra le due memorabili realizzazioni citate – di De
Lullo e di Sepe – merita un indugio più prolungato la
messinscena di Massimo Castri (la prima è del 5 novembre 1979). Castri parte da una sensazione iniziale,
e cioè che l'accanimento, l'agitazione dei curiosi che si

muovono intorno al Terzetto, la loro furibonda ricerca di verità, spinta sino alla violenza ossessiva, appaiono in qualche modo "eccessivi", spropositati rispetto al tema dell'evento posto al centro dell'indagine. Di qui l'intuizione che l'evento deve essere un altro, deve riguardare una zona più profonda, di pulsioni inconsce, di desideri segreti e rimossi. Castri sottolinea l'anomalia della collocazione della novella *La signora Frola e il signor Ponza, suo genero* (da cui è stato ricavato il *Così è*) nel *corpus* delle *Novelle per un anno*. Un racconto che è stato inserito da Pirandello nell'ultimo volume delle novelle, intitolato *Una giornata*, che raccoglie essenzialmente le novelle più notturne e surreali, quelle che Pirandello ha scritto più tardi, fra il 1934 e il 1936, mentre invece *La signora Frola e il signor Ponza, suo genero* risale al 1915. Ne scaturisce una attenzione più meditata alla novella stessa che ruota più tenacemente intorno all'inquietante trio della signora Frola e dei coniugi Ponza. Mancano inoltre nel racconto i commenti ideologici di Laudisi, la cui funzione è assunta nel testo della novella da un più sobrio io narrante. Anche la contrapposizione prolungata e acre fra mondo dei persecutori e mondo dei perseguitati è sostanzialmente assente nel racconto, o per lo meno è risolta in pochi cenni. Già il titolo inoltre – *La signora Frola e il signor Ponza, suo genero* – metteva a fuoco ed elevava a protagonisti i membri del terzetto: il rapporto suocera-genero evoca infatti, implicitamente, la terza figura che non compare nel titolo, e che è appunto la figlia della «suocera» e la moglie del «genero». Con il passaggio alla scrittura drammaturgica si ha un titolo mutato che ben riflette la modificazione dell'angolo visuale. La vicenda passa in secondo piano, serve a supportare una argomentazione relativistica, punta tutto sull'opposizione tra *essere* e *parere*. Il sottotitolo di «parabola» conferma la scelta strategica. Con tutto il suo pesante armamentario pseudofilosofico il *Così è* funziona insomma per Castri come un testo di occultamento, come un mascheramento di secondo livello di un nocciolo oscuro che risultava comunque parzialmente celato già nella novella-matrice. E questo nucleo enigmatico è per Castri il tema dell'incesto, motivo certo largamente attivo nella grande cultura borghese fra Otto e Novecento, e particolarmente presente alla biografia di Pirandello, accusato – come si sa – dalla moglie pazza di nutrire desideri incestuosi per la figlia Lietta. Il *Così è* gira insomma intorno alla trama terribile che da sempre agita la drammaturgia centrata sulla famiglia. Ponza, Frola e l'Ignota sono rispettivamente Padre, Madre e Figlia. Si dice che la figlia della signora Frola è morta per negare appunto la realtà dell'incesto, l'ipotesi di una figlia che viva incestuosamente con il padre. Ma è allora questo rovesciamento di prospettiva critica che permette a Castri un ribaltamento radicale del consueto modo di rapportare il Terzetto alla folla dei curiosi. Il Terzetto è oggetto della ricerca ma anche soggetto di una sottile operazione di accerchiamento. I Tre, lungi dall'essere gli oppressi, finiscono per essere quasi gli oppressori, o comunque gli agitatori, coloro che mettono in crisi i Normali, coinvolgendoli in qualche misura nei loro stessi fantasmi tabù. Non stupisce quindi che nello spettacolo i curiosi vestano alla fine come le loro apparenti vittime. Tra i due gruppi è nato e si è rafforzato un sentimento di legame perché entrambi sono accomunati da un incubo che li minaccia egualmente, ed è appunto il desiderio-paura del nero mito dell'incesto. Si tratta naturalmente di un allestimento che non esita a manipolare in una certa misura il testo pirandelliano e a concedersi qualche "libertà registica", sia pure in nome di una ferrea coerenza interna: pensiamo al colpo di pistola che uccide alla fine Laudisi, che si spiega proprio sulla base dell'interpretazione complessiva. Laudisi, che è figura che sorge con lo slittamento dalla novella al dramma, ha il compito di depistare, di nascondere ancor più il nucleo torbido del *plot* sotto lo scintillante manto della problematica della inconoscibilità degli altri, dell'idologia relativistica. Come tale è l'unico vero "cattivo", e per questo è dunque eliminato, soppresso.

Cronologia

Riportiamo qui di seguito i dati essenziali della vita e delle opere di Pirandello, utilizzando la *Cronologia della vita e delle opere di Luigi Pirandello* a cura di Mario Costanzo, premessa al primo volume di *Tutti i romanzi*, nella nuova edizione dei «Meridiani» (Mondadori, Milano 1973), nonché la *Cronologia*, più attenta alla realtà teatrale, premessa da Alessandro D'Amico al primo volume delle *Maschere Nude*, nella stessa nuova edizione sopra ricordata (Mondadori, Milano 1986).

1867

Luigi Pirandello nasce il 28 giugno in una villa di campagna presso Girgenti (dal 1927 Agrigento) da Stefano Pirandello, ex garibaldino, dedito alla gestione delle zolfare, e da Caterina Ricci-Gramitto, sorella di un compagno d'armi del padre. Un doppio segno politico-ideologico che influirà su Pirandello, destinato a risentire acutamente le frustrazioni storiche di un personale laico-progressista schiacciato dal trasformismo "gattopardesco" e dalla sostanziale immobilità della Sicilia post-unitaria (il che spiegherà anche l'adesione di Pirandello al fascismo, come sorta cioè di protesta polemica rispetto allo stato di cose presente).

1870-1879

Riceve in casa l'istruzione elementare. Da una anziana donna di casa apprende invece fiabe e leggende del folklore siciliano che ritroveremo in molte sue opere (l'Angelo Centuno, le Donne della notte, ecc.). Ha una forte vocazione per gli studi umanistici; scrive a dodici anni una tragedia in cinque atti (perduta) che recita con le sorelle e gli amici nel teatrino di famiglia.

1880-1885
La famiglia si trasferisce da Girgenti a Palermo. Pirandello prosegue la propria educazione letteraria, legge i poeti dell'Ottocento e compone poesie a loro imitazione.

1886-1889
A 19 anni si iscrive alla facoltà di Lettere dell'Università di Palermo ma l'anno dopo si trasferisce all'Università di Roma. L'interesse poetico si è fatto sempre più preciso. Nel 1889 esce a Palermo, presso Pedone Lauriel, la sua prima raccolta di versi, *Mal giocondo*. Continua però anche a scrivere testi teatrali (per lo più perduti o distrutti); ricordiamo almeno qualche titolo: *Gli uccelli dell'alto* del 1886, *Fatti che or son parole* del 1887, *Le popolane* del 1888. È la smentita più eloquente del luogo comune – ancora oggi largamente dominante – secondo cui Pirandello scoprirebbe il teatro solo verso i cinquant'anni. È fuor di dubbio invece che il teatro fu un amore originario e autentico, particolarmente intenso fra i venti e i trent'anni. Semmai sono le delusioni per la mancata messa in scena dei propri lavori che finiscono per allontanare Pirandello dal teatro, rinforzando per reazione la sua vena poetica. Intanto un contrasto insorto con un professore dell'Università romana (che era anche preside della Facoltà) spinge Pirandello a trasferirsi a Bonn nel novembre del 1889.

1890-1891
A Bonn si innamora di una ragazza tedesca, Jenny Schulz-Lander cui dedica la seconda raccolta di poesie, *Pasqua di Gea*, che sarà pubblicata nel 1891. Sempre nel 1891 si laurea in Filologia Romanza discutendo in tedesco una tesi sulla parlata di Girgenti.

1892-1899

Non fa il servizio militare (l'obbligo è assunto dal fratello Innocenzo). Si stabilisce a Roma dove, mantenuto dagli assegni paterni, può soddisfare la propria vena artistica. Luigi Capuana lo introduce negli ambienti letterari e giornalistici romani, sollecitandolo altresì a cimentarsi nella narrativa. Pirandello inizia così a collaborare a giornali e riviste. Si è sposato nel 1894 con Antonietta Portulano, figlia di un socio in affari del padre. Sempre nel '94 esce la prima raccolta di novelle, *Amori senza amore*. Compone ma non pubblica, fra il 1893 e il 1895, i suoi due primi romanzi, *L'esclusa* e *Il turno*. Non rinuncia però ancora del tutto al teatro. Nel '95 lavora a un dramma, *Il nido*, destinato a restare per vent'anni nei cassetti e a subire numerosi cambiamenti di titolo: *Il nibbio*, *Se non così*, *La ragione degli altri*. Intanto la famiglia è cresciuta: nel '95 nasce Stefano, nel '97 Rosalia, detta Lietta, nel '99 Fausto. Comincia a insegnare lingua italiana all'Istituto Superiore di Magistero di Roma.

1900-1904

È un quinquennio assai fertile per la narrativa. Mentre pubblica finalmente *L'esclusa*, nel 1901, e *Il turno*, nel 1902, compone il suo terzo romanzo, *Il fu Mattia Pascal*, pubblicato a puntate su rivista nel 1904. Una lettera del gennaio 1904 dimostra il suo interesse precoce per il cinematografo: medita già infatti un romanzo su questo ambiente (sarà il futuro *Si gira...* che sarà pubblicato nel 1915). Ma il 1903 è per lui un anno tragico: fallisce finanziariamente il padre e nella rovina è dissolta anche la dote della moglie la quale, in questa occasione, patisce il primo trauma che la condurrà a poco a poco alla pazzia. È un nuovo Pirandello che emerge dalla disgrazia: con moglie e tre figli da mantenere, si ingegna di arrotondare il magro stipendio di insegnante con lezioni private e con i quattro soldi per le sue collaborazioni giornalistiche.

1905-1914

È un decennio di passaggio e di trasformazione, ricco di risultati di scrittura, creativa e saggistica. Il relativo successo del *Fu Mattia Pascal* gli apre le porte di una casa editrice importante, quella di Treves. Dal 1909 inizia anche la collaborazione al prestigioso «Corriere della Sera». Nel 1908 pubblica il suo contributo teorico più noto, *L'umorismo*, ma anche il saggio *Illustratori, attori e traduttori* che rivela tutta la diffidenza pirandelliana verso il mondo degli operatori teatrali, verso la realtà concreta, materiale, della scena. Prosegue anche la produzione di romanzi: nel 1909 l'affresco storico *I vecchi e i giovani*, sulle vicende siciliane fra Garibaldi e Fasci Siciliani; nel 1911 *Suo marito* nel quale il teatro ha una certa parte (la protagonista è una scrittrice che compone anche due drammi: uno è il vecchio e mai rappresentato *Se non così*; l'altro sarà il mito *La nuova colonia*). Nel 1910, per incitamento dell'amico Nino Martoglio, commediografo e direttore di teatro siciliano, compone l'atto unico *Lumìe di Sicilia*, ricavato dalla novella omonima. È l'inizio di una ripresa netta di attenzione per il teatro. Scrive essenzialmente atti unici, che cominciano però ad avere la verifica della messinscena.

1915-1920

È la grande esplosione della drammaturgia pirandelliana. Scrive e fa rappresentare in questo periodo *La ragione degli altri*, una serie di testi in siciliano (*Pensaci, Giacomino!*, *Il berretto a sonagli*, *Liolà*, *La giara*), nonché le prime fondamenta della sua produzione "borghese" (*Così è (se vi pare)*, *Il piacere dell'onestà*, *L'innesto*, *Il giuoco delle parti*, *Tutto per bene*, ecc.). Per i lavori dialettali si appoggia al geniale attore siciliano Angelo Musco, ma per i testi in lingua può contare sui più bei nomi del mondo dello spettacolo italiano: Ruggero Ruggeri, che sarà un raffinato interprete pirandelliano, Marco Praga, Virgilio Talli, uno dei padri anticipatori del nuovo teatro di regia. L'intensa attività teatrale corrisponde a una fase fortemente drammatica della biografia pirandelliana: il figlio Stefano, volontario in guerra, è fatto prigioniero dagli austriaci; nel 1919 la moglie è internata in una casa di cura (arrivava ad accusare il marito di passione incestuosa per la figlia Lietta).

1921-1924
Siamo al punto più alto della creatività drammaturgica di Pirandello. Il 9 maggio 1921 i *Sei personaggi in cerca d'autore* cadono rovinosamente al Teatro Valle di Roma, ma si impongono a Milano il 27 settembre dello stesso anno. Due anni dopo, a Parigi, sono allestiti da Georges Pitoëff: è il trampolino di lancio per un successo europeo e mondiale, dei *Sei personaggi* e di Pirandello in generale. Nell'autunno dello stesso '21 compone *Enrico IV*, in scena a Milano il 24 febbraio del '22: un trionfo personale di Ruggero Ruggeri. Nasce anche il "pirandellismo", auspice il filosofo Adriano Tilgher che nel '22 pubblica pagine rimaste memorabili sullo spessore filosofeggiante del pensiero pirandelliano. *Ciascuno a suo modo*, allestito nel '24, prosegue il discorso metateatrale iniziato da Pirandello con i *Sei personaggi*, ma è anche già un modo di riflettere sui complessi problemi che la diffusione del pirandellismo determina a livello di pubblico, di critica, di rapporti autore-attori-spettatori. Il 19 settembre 1924 chiede l'iscrizione al partito fascista con una lettera pubblicata su «L'Impero»: è anche un gesto provocatorio in un momento in cui i contraccolpi del delitto Matteotti sembrano alienare al fascismo alcune simpatie su cui aveva fino a quel momento contato.

1925-1928
Ristampa nel '25 i *Sei personaggi* in una nuova edizione riveduta e ampliata, che tiene conto anche di taluni suggerimenti dello spettacolo di Pitoëff. Pirandello si

apre sempre più alla dimensione pratica, concreta, del mondo della scena. Tra il '25 e il '28 dirige la compagnia del neonato Teatro d'Arte di Roma che inaugura la propria attività il 4 aprile 1925 con l'atto unico *Sagra del Signore della Nave*. Pirandello si fa capocomico, si cala con impegno dentro i problemi della messinscena e della regia (ancora sostanzialmente sconosciuta in Italia). Con il Teatro d'Arte allestisce testi suoi ma anche testi di altri, in Italia e all'estero. Il Teatro d'Arte rivela una nuova attrice, Marta Abba, grande amore tardivo dello scrittore, cui ispira nuovi lavori: *Diana e la Tuda*, *L'amica delle mogli*, *La nuova colonia*, ecc.

1929-1936

Nel marzo del 1929 è chiamato a far parte della Regia Accademia d'Italia. Ha ormai raggiunto una fama internazionale. Alcuni suoi nuovi lavori vedono la prima mondiale all'estero. È il caso di *Questa sera si recita a soggetto*, allestita il 25 gennaio 1930 a Berlino, con la quale Pirandello chiude la trilogia del "teatro nel teatro" iniziata con i *Sei personaggi*. Nello stesso anno la Abba allestisce *Come tu mi vuoi*, da cui verrà tratto un film, girato a Hollywood nel 1932, con Greta Garbo e Erich von Stroheim. Il 20 settembre 1933 va in scena a Buenos Aires *Quando si è qualcuno*; il 19 dicembre 1934 a Praga è la volta di *Non si sa come*. Nello stesso '34 riceve il premio Nobel per la letteratura. Ritorna in questi ultimi anni a scrivere novelle, diradatesi dal '26 in avanti. Sono novelle di un genere nuovo, più attente alla dimensione surreale, alle suggestioni del mondo inconscio. Moltiplica la propria presenza nel mondo del cinema. Cura i dialoghi del film *Il fu Mattia Pascal* di Pierre Chenal, girato a Roma, negli stabilimenti di Cinecittà. Si ammala di polmonite alle ultime riprese e muore a Roma il 10 dicembre 1936.

Catalogo delle opere drammatiche

Riportiamo qui di seguito una sintesi dell'accuratissimo *Catalogo* redatto da Alessandro D'Amico e premesso al secondo volume delle *Maschere Nude*, nella nuova edizione dei «Meridiani», curato dallo stesso D'Amico (Mondadori, Milano 1993). Per i dati relativi alle prime rappresentazioni e alle compagnie teatrali si è fatto ricorso anche a M. Lo Vecchio Musti, *Bibliografia di Pirandello*, Mondadori, Milano 1952², pp. 177-185.

Legenda

Titolo: l'asterisco contrassegna i 43 testi compresi nelle «Maschere nude»; la definizione che segue il titolo: fuori parentesi, è tratta dalle stampe; in parentesi tra virgolette, è tratta da fonti manoscritte; in parentesi senza virgolette è una nostra ipotesi.

Fonte: salvo indicazione contraria il titolo si riferisce alle novelle che costituiscono la fonte principale del dramma; tra parentesi l'anno di pubblicazione.

Stesura: la datazione si riferisce sempre alla prima stesura ed è per lo più basata sull'epistolario.

Edizioni: viene indicato l'anno della prima stampa e delle successive edizioni con varianti rispetto alla prima; l'asterisco segnala le edizioni nelle quali la revisione del testo è stata più consistente; non vengono indicate le semplici ristampe.

Note: per «autografo» si intende uno scritto a mano o un dattiloscritto di Pirandello; per «apografo», un manoscritto coevo di mano di copista.

titolo	fonte	stesura
*L'EPILOGO ("scene drammatiche"; poi intit. LA MORSA, epilogo in un atto)	nel 1897 uscirà una novella, «La paura», sullo stesso soggetto	novembre 1892
*[IL NIDO] ("dramma in quattro atti"; poi intit. IL NIBBIO, SE NON COSÌ, e infine LA RAGIONE DEGLI ALTRI, commedia in tre atti)	«Il nido» (1895)	fine 1895
*LUMIE DI SICILIA commedia in un atto	«Lumie di Sicilia» (1900)	1910 (?)
*IL DOVERE DEL MEDICO un atto	«Il gancio» (1902; poi intit. «Il dovere del medico» 1911)	1911
*CECÉ commedia in un atto		luglio 1913
LUMIE DI SICILIA (versione siciliana)	vedi sopra	maggio 1915

I rappr.	edizioni	note
Roma, 9 dic. 1910 Teatro Metastasio Compagnia del Teatro Minimo diretta da Nino Martoglio	1898.1914*. 1922*	autografo
Milano, 19 apr. 1915 Teatro Manzoni Compagnia Stabile Milanese diretta da Marco Praga (prima attrice Irma Gramatica)	1916.1917*. 1921.1925*. 1935	
Roma, 9 dic. 1910 Vedi sopra La Morsa, insieme alla quale andò in scena	1911.1920*. 1926	apografo
Torino, 19 apr. 1912	1912.1926*	
Roma, 14 dic. 1915 Teatro Orfeo Compagnia Ignazio Mascalchi	1913.1926	
Catania, 1 lug. 1915 Arena Pacini Compagnia Angelo Musco	1993	autografo

titolo	fonte	stesura
PENSACI, GIACUMINU! (in siciliano e italiano) commedia in tre atti	«Pensaci, Giacomino!» (1910)	feb.-mar. 1916
*ALL'USCITA mistero profano		aprile 1916
'A BIRRITTA CU 'I CIANCIA-NEDDI (in siciliano) commedia in due atti	«La verità» (1912) «Certi obbli-ghi» (1912)	agosto 1916
LIOLÀ (in agrigentino) commedia campestre in tre atti	Capitolo IV del romanzo «Il fu Mattia Pascal» (1904); «La mosca» (1904)	ago.-set. 1916
'A GIARRA (in agrigentino) commedia in un atto	«La giara» (1909)	1916 (otto-bre?)
*PENSACI, GIACOMINO! (versione italiana)	vedi sopra	gennaio 1917 (circa)
LA MORSA (versione siciliana)	vedi sopra	1917 (feb-braio?)

I rappr.	edizioni	note
Roma, 10 lug. 1916 Teatro Nazionale Compagnia Angelo Musco	1993	apografi
Roma, 28 sett. 1922 Teatro Argentina Compagnia Lamberto Picasso	1916	
Roma, 27 giu. 1917 Teatro Nazionale Compagnia Angelo Musco	1988	autografo
Roma, 4 nov. 1916 Teatro nazionale Compagnia Angelo Musco	1917 (testo siciliano e traduzione italiana)	autografo
Roma, 9 lug. 1917 Teatro Nazionale Compagnia Angelo Musco	1963	autografo
Milano, 11 ott. 1920 Teatro Manzoni Compagnia Ugo Piperno	1917.1918.1925*.1935	
Roma, 6 set. 1918 Teatro Manzoni Compagnia Giovanni Grasso jr.	1993	apografo

titolo	fonte	stesura
*COSÌ È (SE VI PARE) parabola in tre atti	«La signora Frola e il signor Ponza, suo genero» (1917)	mar.-apr. 1917
*IL PIACERE DELL'ONE-STÀ commedia in tre atti	«Tirocinio» (1905)	apr.-mag. 1917
*L'INNESTO commedia in tre atti		ott.-dic. 1917
LA PATENTE (in siciliano e italiano) commedia in tre atti	«La patente» (1911)	(1917? dicembre?)
*LA PATENTE (versione italiana)	vedi sopra	dic. 1917-gen. 1918
*MA NON È UNA COSA SERIA commedia in tre atti	«La signora Speranza» (1902) «Non è una cosa seria» (1910)	ago. (?) 1917-feb. 1918
*IL BERRETTO A SONAGLI (versione italiana)	vedi sopra	estate 1918

I rappr.	edizioni	note
Milano, 18 giu. 1917 Teatro Olympia Compagnia Virgilio Talli	1918.1918. 1925*.1935	
Torino, 27 nov. 1917 Teatro Carignano Compagnia Ruggero Ruggeri	1918.1918. 1925*.1935	
Milano, 29 gen. 1919 Teatro Manzoni Compagnia Virgilio Talli	1919.1921*. 1925.1936	autografo
Torino, 23 mar. 1918 Teatro Alfieri Compagnia Angelo Musco	1986	autografo
	1918.1920*. 1926	
Livorno, 22 nov. 1918 Teatro Rossini Compagnia Emma Gramatica	1919.1925	
Roma, 15 dic. 1923 Teatro Morgana Compagnia Gastone Monaldi	1918.1920*. 1925*	

titolo	fonte	stesura
*IL GIUOCO DELLE PARTI in tre atti	«Quando s'è capito il giuoco» (1913)	lug.-set. 1918
*L'UOMO, LA BESTIA E LA VIRTÙ apologo in tre atti	«Richiamo all'obbligo» (1906)	gen.-feb. 1919
*COME PRIMA, MEGLIO DI PRIMA commedia in tre atti	«La veglia» (1904)	1919 (ottobre?)
*TUTTO PER BENE commedia in tre atti	«Tutto per bene» (1906)	1919-1920
*LA SIGNORA MORLI, UNA E DUE (anche DUE IN UNA) commedia in tre atti	«Stefano Giogli, uno e due» (1909) «La morta e la viva» (1910)	1920 (est.-aut.?)

I rappr.	*edizioni*	*note*
Roma, 6 dic. 1918 Teatro Quirino Compagnia Ruggero Ruggeri (prima attrice Vera Vergani)	1919.1919*. 1925.1935	
Milano, 2 mag. 1919 Teatro Olympia Compagnia Antonio Gandusio	1919.1922*. 1935*	
Napoli, 14 feb. 1920	1921.1935	
Roma, 2 mar. 1920 Teatro Quirino Compagnia Ruggero Ruggeri	1920.1935	
Roma, 12 nov. 1920 Teatro Argentina Compagnia Emma Gramatica	1922.1936	

titolo	fonte	stesura
*SEI PERSONAGGI IN CERCA D'AUTORE commedia da fare	«Personaggi» (1906) «La tragedia di un personaggio» (1911) «Colloqui coi personaggi» (1915)	ott. 1920-gen. (?) 1921
*ENRICO IV tragedia in tre atti		sett.-nov. 1921
*VESTIRE GLI IGNUDI commedia in tre atti		apr.-mag. 1922
*L'IMBECILLE commedia in un atto	«L'imbecille» (1912)	?
*L'UOMO DAL FIORE IN BOCCA dialogo	«Caffè notturno» (1918, poi intit. «La morte addosso» 1923)	?

I rappr.	edizioni	note
Roma, 9 mag. 1921 Teatro Valle Compagnia Dario Nicco- demi (interpreti Luigi Al- mirante e Vera Vergani)	1921.1923*. 1925*.1927. 1935	
Milano, 24 feb. 1922 Teatro Manzoni Compagnia Ruggero Rug- geri e Virgilio Talli	1922.1926*. 1933	autografi prime ste- sure
Roma, 14 nov. 1922 Teatro Quirino Compagnia Maria Melato	1923.1935	autografo
Roma, 10 ott. 1922 Teatro Quirino Compagnia Alfredo Sai- nati	1926.1935	autografo
Roma, 21 febbraio 1923 Teatro degli Indipendenti Compagnia degli Indipen- denti diretta da Anton Giulio Bragaglia	1926.1935	

titolo	fonte	stesura
*LA VITA CHE TI DIEDI tragedia in tre atti	«La camera in attesa» (1916) «I pensionati della memoria» (1914)	gen.-feb. 1923
*CIASCUNO A SUO MODO commedia in due o tre atti con intermezzi corali	da un episodio del rom. «Si gira...» (1915)	1923 (apr.-mag.?)
*L'ALTRO FIGLIO commedia in un atto	«L'altro figlio» (1905)	?
*SAGRA DEL SIGNORE DELLA NAVE commedia in un atto	«Il Signore della Nave» (1916)	estate 1924
*LA GIARA (versione italiana)	vedi sopra	1925?
*DIANA E LA TUDA tragedia in tre atti		ott. 1925-ago. 1926

I rappr.	edizioni	note
Roma, 12 ott. 1923 Teatro Quirino Compagnia Alda Borelli	1924.1933	
Milano, 23 mag. 1924 Teatro dei Filodrammatici Compagnia Dario Nicco- demi (interpreti Luigi Ci- mara e Vera Vergani)	1924.1933*	
Roma, 23 nov. 1923 Teatro Nazionale Compagnia Raffaello e Garibalda Niccòli	1925	
Roma, 2 apr. 1925 Teatro Odescalchi Compagnia Teatro d'Arte diretta da Luigi Pirandello	1924.1925	
Roma, 30 mar. 1925	1925	
Milano, 14 gen. 1927 Teatro Eden Compagnia Teatro d'Arte diretta da Luigi Pirandello (prima attrice Marta Abba) (I rappr. assoluta: «Diana und die Tuda», Zurigo, 20 nov. 1926)	1927.1933	

titolo	fonte	stesura
*L'AMICA DELLE MOGLI commedia in tre atti	«L'amica delle mogli» (1894)	ago. 1926
*BELLAVITA un atto	«L'ombra del rimorso» (1914)	1926 (ante 17 ott.)
*LIOLÀ (versione italiana)	vedi sopra	1927?
*LA NUOVA COLONIA mito - prologo e tre atti	trama nel ro- manzo «Suo marito» (1911)	mag. 1926- giu. 1928
*LAZZARO mito in tre atti		1928 (feb.- apr.?)

I rappr.	edizioni	note
Roma, 28 apr. 1927 Teatro Argentina Compagnia Teatro d'Arte diretta da Luigi Pirandello (interpreti Marta Abba e Lamberto Picasso)	1927.1936	
Milano, 27 maggio 1927 Teatro Eden Compagnia Almirante- Rissone-Tofano	1928.1933	autografo
Roma, 12 nov. 1929 Teatro Orfeo Compagnia Ignazio Ma- scalchi (primo attore Carlo Lombardi)	1928.1937*	
Roma, 24 mar. 1928 Teatro Argentina Compagnia Teatro d'Arte diretta da Luigi Pirandello (interpreti Marta Abba e Lamberto Picasso)	1928	
Torino, 7 dic. 1929 Teatro di Torino Compagnia Marta Abba (I rappr. assoluta in in- glese: Huddersfield, 9 lug. 1929)	1929	

titolo	fonte	stesura
*SOGNO (MA FORSE NO)		dic. 1928-gen. 1929
*QUESTA SERA SI RECITA A SOGGETTO	«Leonora addio!» (1910)	fine 1928-inizio 1929
*O DI UNO O DI NESSUNO commedia in tre atti	«O di uno o di nessuno» (1912 e 1925)	apr.-mag. 1929
*COME TU MI VUOI (tre atti)		lug.-ott. 1929
*LA FAVOLA DEL FIGLIO CAMBIATO tre atti in cinque quadri musica di Gian Francesco Malipiero	«Il figlio cambiato» (1902)	prim. 1930-mar.-giu. 1932

I rappr.	edizioni	note
Genova, 10 dic. 1937 Giardino d'Italia Filodrammatica del Gruppo Universitario di Genova (I rappr. assoluta: «Sonho (mas talvez nâo)», Lisbona, 22 set. 1931)	1929	
Torino, 14 apr. 1930 Teatro di Torino Compagnia Guido Salvini (I rappr. assoluta: «Heute Abend wird aus dem Stegreif gespielt», Königsberg, 25 gen. 1930)	1930.1933*	
Torino, 4 nov. 1929 Teatro di Torino Compagnia Almirante-Rissone-Tofano	1929	
Milano, 18 feb. 1930 Teatro dei Filodrammatici Compagnia Marta Abba	1930.1935	
Roma, 24 mar. 1934 Teatro Reale dell'Opera Musica di Gian Francesco Malipiero Direttore d'orchestra Gino Marinuzzi (I rappr. assoluta: «Die Legende von verstauschten Sohn», Braunschweig, 13 gen. 1934)	1933.1938*	

titolo	fonte	stesura
*I FANTASMI (prima e seconda parte del "mito" I GIGANTI DELLA MONTAGNA)		apr. 1930- mar. 1931
*TROVARSI tre atti		lug.-ago. 1932
*QUANDO SI È QUALCUNO rappresentazione in tre atti		set.-ott. 1932
*I GIGANTI DELLA MON- TAGNA ("secondo atto", corri- spondente alla terza parte)	«Lo stormo e l'Angelo Centuno» (1910)	estate 1933
*NON SI SA COME dramma in tre atti	«Nel gorgo» (1913) «Cinci» (1932) «La realtà del sogno» (1914)	lug.-set. 1934

I rappr.	edizioni	note
Firenze, 5 giu. 1937 Giardino di Boboli Complesso diretto da Renato Simoni (interpreti Andreina Pagnani e Memo Benassi)	1931.1933	autografo
Napoli, 4 nov. 1932 Teatro dei Fiorentini Compagnia Marta Abba	1932	
San Remo, 7 nov. 1933 Teatro del Casino Municipale Compagnia Marta Abba (I rappr. assoluta: «Cuando se es alguien», Buenos Aires, 20 set. 1933)	1933	
Firenze, 5 giugno 1937 vedi sopra I fantasmi	1934	il terzo e ultimo atto (o quarta parte) non fu mai scritto
Roma, 13 dic. 1935 Teatro Argentina Compagnia Ruggero Ruggeri (I rappr. assoluta: «Člověk ani neví jak» Praga, 19 dic. 1934)	1935	

Bibliografia

Opere di Pirandello

Tutte le opere di Pirandello sono ristampate nei «Classici Contemporanei Italiani» di Mondadori (due volumi di *Maschere Nude*, due di *Novelle per un anno*, uno di *Tutti i romanzi* e uno di *Saggi, poesie, scritti varii*). È attualmente in corso di pubblicazione nella collezione «I Meridiani», di Mondadori, una riedizione integrale di tutto il *corpus* pirandelliano, su basi filologiche più attente e rigorose, diretta da Giovanni Macchia. Per il momento sono usciti:

- *Tutti i romanzi*, due volumi, a cura di Giovanni Macchia con la collaborazione di Mario Costanzo, Introduzione di Giovanni Macchia, Cronologia, Note ai testi e varianti a cura di Mario Costanzo (1973);

- *Novelle per un anno*, tre volumi, ciascuno in due tomi, a cura di Mario Costanzo, Premessa di Giovanni Macchia, Cronologia, Note ai testi e varianti a cura di Mario Costanzo (1985; 1987; 1990);

- *Maschere Nude*, due volumi, a cura di Alessandro D'Amico, Premessa di Giovanni Macchia, Cronologie 1875-1917 e 1918-22, Catalogo delle opere drammatiche, Note ai testi e varianti a cura di Alessandro D'Amico (1986; 1993).

Dell'ampio epistolario pirandelliano ci limitiamo a ricordare quanto è uscito in volume:
- Pirandello-Martoglio, *Carteggio inedito*, commento e note di Sarah Zappulla Muscarà, Pan, Milano 1979.
- Luigi Pirandello, *Carteggi inediti con Ojetti - Alberti-*

ni - Orvieto - Novaro - De Gubernatis - De Filippo, a cura di Sarah Zappulla Muscarà, Bulzoni, Roma 1980.

– Luigi Pirandello, *Lettere da Bonn (1889-1891)*, introduzione e note di Elio Providenti, Bulzoni, Roma 1984.

– Luigi Pirandello, *Epistolario familiare giovanile (1886-1898)*, a cura di Elio Providenti, Le Monnier, Firenze 1986.

Studi biografici e bibliografici

Federico Vittore Nardelli, *L'uomo segreto. Vita e croci di Luigi Pirandello*, Mondadori, Verona 1932 (ristampato con il titolo *Pirandello. L'uomo segreto*, a cura e con prefazione di Marta Abba, Bompiani, Milano 1986.

Manlio Lo Vecchio Musti, *Bibliografia di Pirandello*, Mondadori, Milano 1937, 1952[2].

Gaspare Giudice, *Luigi Pirandello*, Utet, Torino 1963.

Franz Rauhut, *Der junge Pirandello*, Beck, München 1964 (cronologia alle pp. 443-482).

Alfredo Barbina, *Bibliografia della critica pirandelliana, 1889-1961*, Le Monnier, Firenze 1967.

Fabio Battistini, *Giunte alla bibliografia di Luigi Pirandello*, in «L'osservatore politico letterario», Milano, dicembre 1975, pp. 43-58.

Enzo Lauretta, *Luigi Pirandello*, Mursia, Milano 1980.

Studi critici

Adriano Tilgher, *Studi sul teatro contemporaneo*, Libreria di Scienze e Lettere, Roma 1922.

Piero Gobetti, *Opera critica*, vol. II, Edizioni del Baretti, Torino 1927.

Benedetto Croce, *Luigi Pirandello*, in *Letteratura della Nuova Italia*, vol. VI, Laterza, Bari 1940.

Antonio Gramsci, *Letteratura e vita nazionale*, Einaudi, Torino 1950.

Leonardo Sciascia, *Pirandello e il pirandellismo*, Sciascia, Caltanissetta 1953.

Giacomo Debenedetti, *«Una giornata» di Pirandello*, in *Saggi critici*, Mondadori, Milano 1955.

Carlo Salinari, *Miti e coscienza del decadentismo italiano*, Feltrinelli, Milano 1960.

Leonardo Sciascia, *Pirandello e la Sicilia*, Sciascia, Caltanissetta-Roma 1961.

Arcangelo Leone de Castris, *Storia di Pirandello*, Laterza, Bari 1962.

Gösta Andersson, *Arte e teoria. Studi sulla poetica del giovane Luigi Pirandello*, Almqvist & Wiksell, Stockholm 1966.

Lucio Lugnani, *Pirandello, Letteratura e teatro*, La Nuova Italia, Firenze 1970.

Claudio Vicentini, *L'estetica di Pirandello*, Mursia, Milano 1970.

Gianfranco Venè, *Pirandello fascista*, Sugar, Milano 1971.

Giacomo Debenedetti, *Il romanzo del Novecento*, Garzanti, Milano 1971.

Roberto Alonge, *Pirandello tra realismo e mistificazione*, Guida, Napoli 1972.

Renato Barilli, *La linea Svevo-Pirandello*, Mursia, Milano 1972.

Silvana Monti, *Pirandello*, Palumbo, Palermo 1974.

Jean-Michel Gardair, *Pirandello e il suo doppio*, Abete, Roma 1977.

Robert Dombroski, *La totalità dell'artificio. Ideologia e forme nel romanzo di Pirandello*, Liviana, Padova 1978.

Alfredo Barbina, *La biblioteca di Luigi Pirandello*, Bulzoni, Roma 1980.

Paolo Puppa, *Fantasmi contro giganti. Scena e immaginario in Pirandello*, Pàtron, Bologna 1978.

Giovanni Macchia, *Pirandello o la stanza della tortura*, Mondadori, Milano 1981.

Massimo Castri, *Pirandello Ottanta*, Ubulibri, Milano 1981.

Jean Spizzo, *Pirandello: dissolution et genèse de la représentation théâtrale. Essai d'interprétation psychanalytique de la dramaturgie pirandellienne*, volumi due (thèse d'état, Paris VIII).

Elio Gioanola, *Pirandello la follia*, Il melangolo, Genova 1983.

Sarah Zappulla Muscarà, *Pirandello in guanti gialli*, Sciascia, Caltanissetta-Roma 1983.

Guido Davico Bonino (a cura di), *La "prima" dei «Sei personaggi in cerca d'autore». Scritti di Luigi Pirandello, testimonianze, cronache teatrali*, Tirrenia Stampatori, Torino 1983.

Nino Borsellino, *Ritratto di Pirandello*, Laterza, Bari 1983.

Roberto Alonge-André Bouissy-Lido Gedda-Jean Spizzo, *Studi pirandelliani. Dal testo al sottotesto*, Pitagora, Bologna 1986.

Giovanni Cappello, *Quando Pirandello cambia titolo: occasionalità o strategia?*, Mursia, Milano 1986.

Lucio Lugnani, *L'infanzia felice e altri saggi su Pirandello*, Liguori, Napoli 1986.

Alessandro D'Amico-Alessandro Tinterri, *Pirandello capocomico. La compagnia del Teatro d'Arte di Roma, 1925-1928*, Sellerio, Palermo 1987.

Giuseppina Romano Rochira, *Pirandello capocomico e regista nelle testimonianze e nella critica*, Adriatica, Bari 1987.

Paolo Puppa, *Dalle parti di Pirandello*, Bulzoni, Roma 1987.

Umberto Artioli, *Le sei tele divine. L'enigma di Pirandello*, Laterza, Bari 1988.

Roberto Alonge, *Studi di drammaturgia italiana*, Bulzoni, Roma 1989.

Atti di convegni

Teatro di Pirandello, Centro Nazionale Studi Alfieriani, Asti 1967.
Atti del congresso internazionale di studi pirandelliani, Le Monnier, Firenze 1967.
I miti di Pirandello, Palumbo, Palermo 1975.
Il romanzo di Pirandello, Palumbo, Palermo 1976.
Il teatro nel teatro di Pirandello, Centro Nazionale Studi Pirandelliani, Agrigento 1977.
Pirandello e il cinema, Centro Nazionale Studi Pirandelliani, Agrigento 1978.
Gli atti unici di Pirandello, Centro Nazionale Studi Pirandelliani, Agrigento 1978.
Le novelle di Pirandello, Centro Nazionale Studi Pirandelliani, Agrigento 1980.
Pirandello poeta, Vallecchi, Firenze 1981.
Pirandello saggista, Palumbo, Palermo 1982.
Pirandello e il teatro del suo tempo, Centro Nazionale Studi Pirandelliani, Agrigento 1983.
Pirandello dialettale, Palumbo, Palermo 1983.
Pirandello e la cultura del suo tempo, Mursia, Milano 1984.
Pirandello e la drammaturgia tra le due guerre, Centro Nazionale Studi Pirandelliani, Agrigento 1985.
Teatro: teorie e prassi, La Nuova Italia Scientifica, Firenze 1986.
Testo e messa in scena in Pirandello, La Nuova Italia Scientifica, Firenze 1986.

Studi specifici su «Liolà» e «Così è (se vi pare)»

Su *Liolà* e la connessa problematica del Pirandello dialettale si vedano in particolare:

Pietro Mazzamuto, *L'arrovello dell'arcolaio. Studi su Pirandello agrigentino e dialettale*, Flaccovio, Palermo 1974.

Sarah e Enzo Zappulla (a cura di), *Sicilia: dialetto e teatro. Materiali per una storia del teatro dialettale siciliano*, Centro Nazionale Studi Pirandelliani, Agrigento 1982.

Paolo Mario Sipala, *«Liolà» dall'insuccesso al successo: ipotesi di una doppia lettura*, in AA.VV., *Pirandello dialettale*, cit., pp. 202-217.

Jean Spizzo, *«Liolà» o dell'inganno della paternità*, Ivi, pp. 218-230.

Sarah Zappulla Muscarà, *Pirandello e il dialetto* [con ricca bibliografia nelle note], in *Pirandello in guanti gialli*, cit., pp. 121-152.

Sarah e Enzo Zappulla, *Pirandello e il teatro siciliano*, Maimone, Catania 1986.

Sarah e Enzo Zappulla, *Musco. Immagini di un attore*, Maimone, Catania 1987.

Su *Così è (se vi pare)* si vedano in particolare:

Paolo Puppa, *Il salotto di notte. La messinscena di «Così è (se vi pare)» di Massimo Castri*, Multimmagini, Torino 1980.

Massimo Castri, *Pirandello Ottanta*, cit., pp. 91-131.

Giovanni Macchia, *Pirandello o la stanza della tortura*, cit., pp. 90-95.

LIOLÀ
commedia campestre in tre atti

PERSONAGGI

Nico Schillaci, *detto* Liolà
Zio Simone Palumbo
Zia Croce Azzara, *sua cugina*
Tuzza, *figlia della zia Croce*
Mita, *giovane moglie di zio Simone*
Càrmina, *detta* La Moscardina
Comare Gesa, *zia di Mita*
Zia Ninfa, *madre di Liolà*
Tre giovani contadine: Ciuzza, Luzza, Nela
I tre cardelli di Liolà: Tinino, Calicchio, Pallino
Altri uomini e donne del contado

Campagna agrigentina, oggi

ATTO PRIMO

Tettoja tra la casa colonica e il magazzino, la stalla e il palmento della zia Croce Azzara. In fondo, campagna con ceppi di fichidindia, mandorli e olivi saraceni. Sul lato destro, sotto la tettoja, la porta della casa colonica, un rozzo sedile di pietra e poi il forno monumentale. Sul lato sinistro, la porta del magazzino, la finestra del palmento e un'altra finestra ferrata. Anelli a muro per legarvi le bestie.

È di settembre, e si schiacciano le mandorle. Su due panche ad angolo stanno sedute Tuzza, Mita, comare Gesa, Càrmina la Moscardina, Luzza, Ciuzza e Nela. Schiacciano, picchiando con una pietra la mandorla su un'altra pietra che tengono sul ginocchio. Zio Simone le sorveglia, seduto su un grosso cofano capovolto. La zia Croce va e viene. Per terra, sacchi, ceste, cofani e gusciaglia. Al levarsi della tela le donne, schiacciando, cantano la « Passione ».

CORO

> E Maria dietro le porte
> nel sentir le scurïate:
> « Non gli date così forte,
> sono carni delicate! »

ZIA CROCE (*venendo dalla porta del magazzino con una cesta di mandorle*) Su su, ragazze, siamo alle ultime! Con l'ajuto di Dio, per quest'anno, abbiamo finito di schiacciare.

CIUZZA Qua a me, zia Croce!

LUZZA Dia qua!

NELA Dia qua!

ZIA CROCE Se vi sbrigate, farete a tempo per l'ultima messa.

CIUZZA Eh sì! Che messa più!

NELA Prima d'arrivare al paese...

LUZZA E poi il tempo per vestirci...

GESA Eh già, avete bisogno di pararvi per sentirvi la santa messa?

NELA Vorrebbe che andassimo in chiesa come alla stalla?

CIUZZA Io, se posso, ci scappo anche così.

ZIA CROCE Brave, perdete intanto altro tempo a chiacchierare!

LUZZA Su, cantiamo, cantiamo!

E ripigliano a battere e a cantare.

CORO

    « A lui portami, Giovanni! »

    « Camminar non puoi, Maria! »

ZIO SIMONE (*interrompendo il coro*) E finitela una buona volta con questa « Passione »! State a rompermi la testa da questa mattina. Schiacciate senza cantare!

LUZZA Oh! È uso, sa lei, cantare mentre si schiaccia.

NELA Che vecchio brontolone!

GESA Dovrebbe farsi coscienza del peccato che stiamo commettendo per lei a lavorare la santa domenica.

ZIO SIMONE Per me? Per zia Croce, volete dire.

ZIA CROCE Ah sì? Che faccia! Non mi dà requie da tre giorni per queste mandorle che vuol vendere! Chi sa che cosa mi pareva gli dovesse accadere, se non gliele davo subito schiacciate!,

ZIO SIMONE (*brontolando, ironico*) Saranno la mia ricchezza, difatti.

LA MOSCARDINA Oh, zio Simone, si rammenti che ci ha promesso di darci da bere, com'avremo finito.

ZIA CROCE Promesso? È patto! State tranquille.

ZIO SIMONE Ma no, che patto e patto, cugina! Per quattro gusci, dite sul serio?

ZIA CROCE Ah, vi tirate indietro? dopo che m'avete fatto chiamar le donne a schiacciare di domenica? No no, cugino: queste cose con me non si fanno.

Rivolgendosi a Mita:

Su, Mita, corri, corri a prendere una bella mezzina di vino per darla a bere qua alla salute e prosperità di tuo marito!

Approvazioni e battimani delle donne, « sì, viva! viva! »

ZIO SIMONE Grazie, cugina! Vedo che siete davvero di buon cuore!

ZIA CROCE (*a Mita*) Non ti muovi?

MITA Eh, se non me lo comanda lui...

ZIA CROCE Hai bisogno che te lo comandi lui? Non sei padrona anche tu?

MITA No, zia Croce, il padrone è lui.

ZIO SIMONE E vi so dire che se l'anno venturo ho un'altra volta la tentazione di comprar frutto in erba, questi occhi – guardate – me li faccio prima cavare!

CIUZZA Pensa all'anno venturo, adesso!

LUZZA Come se non si sapesse le mandorle, come sono!

NELA Cariche un anno, e l'altro no!

ZIO SIMONE Le mandorle, già! Come se fossero soltanto le mandorle! Anche la vigna è tutta presa dal male! E andate a guardar fuori: tutte le cimette degli olivi bruciolate, che fanno pietà!

LA MOSCARDINA Vederlo piangere così, Dio benedetto, ricco com'è! Ha stimato a occhio e ha sbagliato; pensi che, dopo tutto, il suo danno è stato un beneficio per questa sua parente vedova, con la nipote orfana; e ci faccia una croce!

CIUZZA Danari che restano in famiglia...

LUZZA   Se li vuol portare sotterra?

LA MOSCARDINA   Avesse figli... – Uh, m'è scappata!

*Si tura subito la bocca. Le altre donne restano tut-
te come basite. Zio Simone le fulmina con gli occhi; poi, scorgendo la moglie, scarica l'ira su lei.*

ZIO SIMONE   (*a Mita*) Va' via, va' via, mangia-a-ufo!
va' via!

*E come Mita, avvilita, non si muove, andandole so-
pra, facendola alzare e strappandola e scrollandola:*

Lo vedi, lo vedi a che servi tu? solo a farmi beccare
la faccia da tutti! Va' via! Subito a casa, via! O per
Cristo, non so davvero che sproposito faccio, stamattina!

*Mita va via dal fondo, mortificata, piangendo. Zio
Simone allunga un calcio al cofano su cui stava seduto ed entra nel magazzino.*

ZIA CROCE   (*alla Moscardina*) Benedetta donna! Non
sapete tenere a posto la lingua!

LA MOSCARDINA   Lo cava proprio di bocca!

CIUZZA   (*con aria ingenua*) Ma è forse vergogna per un
uomo non aver figliuoli?

ZIA CROCE   Zitta tu! Questi non son discorsi in cui
possano metter bocca le ragazze.

LUZZA   Che male c'è?

NELA   Segno che Dio non ha voluto dargliene.

LUZZA   E perché allora se la piglia con la moglie?

ZIA CROCE   Oh insomma, la smettete? Andate, andate
a schiacciare!

CIUZZA   Abbiamo finito, zia Croce.

ZIA CROCE   E allora andate pei fatti vostri!

*Le tre ragazze s'appartano in fondo, attorno a Tuz-
za che non ha aperto bocca e se n'è stata ingrugna-
ta. Cercano d'attaccar discorso con lei; ma Tuzza
le respinge con una spallata. Allora, prima l'una e*

poi l'altra, pian pianino s'accostano ad ascoltare ciò che dicono di là tra loro la zia Croce, comare Gesa e comare Càrmina e poi lo vanno a riferire alle altre due che ne ridono, ammonendole con cenni di non farsi sentire.

ZIA CROCE   Ah care mie, m'ha fatto la testa com'un pallone! L'ho qua, tutto il santo giorno; e sempre, dalla mattina alla sera, con questa lima –

LA MOSCARDINA   – del figlio che non gli nasce? O come vuole che gli nasca?

GESA   Bastasse piangere per farlo nascere!

ZIA CROCE   No, piange – siamo giuste – piange per la roba; tanta bella roba che, alla sua morte, andrebbe a finire in mano d'altri. Non se ne sa dar pace!

LA MOSCARDINA   E lo lasci piangere, zia Croce! Finché lui piange, lei ha motivo di ridere, mi pare!

ZIA CROCE   Dite per l'eredità? Non ci penso nemmeno, comare mia! Siamo, di parenti, più di quanti capelli ho in capo.

LA MOSCARDINA   Ma sempre, o poco o molto, secondo il grado della parentela, una parte ne toccherà anche a lei, no? – Me ne duole per vostra nipote, zia Gesa, ma la legge è legge: se non ci son figli, la roba del marito –

GESA   – se la carichi in collo il diavolo, e lui con tutta la sua roba! Volete che ne muoja, per questa roba, la mia nipote? Povera anima di Dio, disgraziata da quand'è nata; lasciata in fasce dalla madre e a tre anni orfana anche di padre! Me la son cresciuta io, Dio sa come! Vorrei vedere se avesse almeno un fratello! Non la tratterebbe così, ve l'assicuro io! Per miracolo non se la pesta sotto i piedi: avete veduto!

Si mette a piangere.

LA MOSCARDINA   È vero, povera Mita! Chi l'avrebbe detto, quattr'anni fa! Parve a tutti una fortuna que-

sto suo matrimonio con zio Simone Palumbo! Mah!
Sono belle le prugne e le cerase (se poi, manca il
pane...)

ZIA CROCE   Ah no, piano! Vorreste dire che in fin dei
conti non è stata una fortuna per Mita? Lasciamo
andare! Brava ragazza, Mita, non nego; ma via, neppure in sogno avrebbe potuto aspettarsi di divenir
moglie di mio cugino!

GESA   Vorrei sapere però, cara zia Croce, chi lo pregò
suo cugino di prendersi in moglie mia nipote. Io no
davvero; e Mita tanto meno.

ZIA CROCE   Lo sapete anche voi che la prima moglie
di zio Simone fu una vera signora –

LA MOSCARDINA   – e la pianse, bisogna dire la verità,
la pianse tanto, quando gli morì!

GESA   Già! Per tutti i figli che seppe fargli!

ZIA CROCE   Che figli volete che gli facesse quella poverina! Era così

mostra il mignolo

e teneva l'anima coi denti! Non potete negare che,
rimasto vedovo, partiti per riammogliarsi non gliene
sarebbero mancati! A cominciare da me, mia figlia,
se me l'avesse chiesta, gliel'avrei data. Non volle
mettere al posto della morta nessun'altra del nostro
parentado e nemmeno del nostro paraggio. Prese vostra nipote soltanto per averne un figlio, non per
altro.

GESA   Scusi, che intende dire con questo? Che manca
forse per mia nipote?

*A questo punto Luzza, accostandosi per ascoltare,
nel voltarsi per far segno alle compagne, sbatte
contro la zia Croce che si volta e la spinge sulle
furie contro quelle che gridano e ridono.*

ZIA CROCE   Càzzica, che ficchina! V'ho detto di tenervi
discoste, pettegole che non siete altro!

LA MOSCARDINA (*ripigliando il discorso*) Bella, prosperosa, Mita: una rosa veramente: vende salute!

ZIA CROCE Questo non vorrebbe dire. Tante volte...

GESA Oh! dice sul serio, zia Croce? Ma li metta accanto, santo Dio; e sfido chiunque a dire per chi possa mancare tra i due!

ZIA CROCE Scusate, se strepita tanto per avere un figlio, è segno, mi pare, che sa di poterlo avere. Si starebbe zitto, altrimenti!

GESA Ringrazi Dio che mia nipote è onesta, e la prova perciò non si può fare! Ma stia certa, zia Croce, che neppure una santa del paradiso reggerebbe ai maltrattamenti di questo vecchiaccio, ai raffacci che le fa davanti a tutti. Maria Vergine stessa, vedendosi cimentata così, griderebbe: « Ah, tu vuoi davvero un figlio da me? E tieni qua che te lo faccio! »

LA MOSCARDINA Ah, non sia mai, Signore!

GESA (*riprendendosi subito*) Ma chi, mia nipote?

LA MOSCARDINA Sarebbe un peccato mortale!

GESA Prima a terra la testa, che fare una cosa simile, la mia nipote!

LA MOSCARDINA Ragazza d'oro, se ce n'è, savia da piccola, non offendendo i meriti di nessuno.

ZIA CROCE Io non l'ho mai negato.

CIUZZA (*dal fondo, vedendo passare davanti la tettoja zia Ninfa con Tinino, Calicchio e Pallino*) Oh, ecco la zia Ninfa coi tre cardelli di Liolà!

LUZZA e NELA (*battendo le mani*) La zia Ninfa! La zia Ninfa!

CIUZZA (*chiamando*) Tinino!

Tinino accorre e le salta in braccio.

LUZZA (*chiamando*) Calicchio!

Calicchio accorre e le salta in braccio.

NELA (*chiamando*) Pallino!

Pallino accorre e le salta in braccio.

ZIA NINFA   Per carità, ragazze, lasciateli stare! M'hanno fatto girar la testa come un arcolajo. E vedete a
che ora mi son ridotta per andare a sentirmi la santa
messa!

CIUZZA   (*a Tinino*) A chi vuoi bene tu?

TININO   A te!

> *E la bacia.*

LUZZA   (*a Calicchio*) E tu, Calicchio?

CALICCHIO   A te!

> *E la bacia.*

NELA   (*a Pallino*) Pallino, e tu?

PALLINO   A te!

> *E la bacia.*

LA MOSCARDINA   I figli del lupo nascono coi denti!

GESA   Povera zia Ninfa, mi sembra la chioccia coi pul-
cini!

ZIA NINFA   Tre poveri figliolucci innocenti, senza mamma...

LA MOSCARDINA   E ringrazi Dio che son tre! Col prin-
cipio che ha, di tenersi tutti quelli che le donne gli
scodellano – sono tre? – potrebbero esser trenta!

ZIA CROCE   (*indicando con gli occhi le ragazze*) Piano,
oh, comare!

LA MOSCARDINA   Non dico nulla di male. Si vede anzi
ch'è di buon cuore.

ZIA NINFA   Ne vuole una covata, dice; insegnare a tutti
a cantare; e poi, in gabbia, portarseli a vendere al
paese.

CIUZZA   In gabbia tu, Tinino, come un cardellino? E
sai cantare?

LA MOSCARDINA   (*carezzando i capellucci di Pallino*) È
il figlio di Rosa la Favarese?

ZIA NINFA   Chi, Pallino? Se vi dicessi che non lo so
più nemmeno io? Ma no, mi sembra Tinino il figlio
di Rosa.

CIUZZA   No no, Tinino no! È figlio mio, Tinino!

GESA Sì! Staresti fresca, se fosse vero.

ZIA NINFA (*risentendosi*) O perché?

LA MOSCARDINA Moglie di Liolà?

ZIA NINFA Non dovreste dirlo, comare Càrmina: che se c'è un ragazzo amoroso e rispettoso, è mio figlio Liolà.

LA MOSCARDINA Amoroso? E come! Cento ne vede e cento ne vuole.

ZIA NINFA Segno che ancora non ne ha trovata una –

> *e guarda con intenzione Tuzza*

– quella che dev'essere. – Via, via, lasciatemene andare, ragazze!

> *S'accosta a Tuzza.*

Che hai, Tuzza, non ti senti bene?

LA MOSCARDINA Ha il broncio da questa mattina, Tuzza.

TUZZA (*sgarbata*) Non ho nulla, non ho nulla!

ZIA CROCE La lasci stare, zia Ninfa: ha avuto la febbre stanotte.

GESA Vengo con lei, zia Ninfa, se qua non c'è più altro da fare.

LA MOSCARDINA Ci arriverete per la messa delle signore, al paese!

ZIA NINFA Per carità, non mi parlate della messa delle signore! Sapete che domenica scorsa non me la son potuta vedere? Tentazione del diavolo. Gli occhi mi andarono ai ventagli delle signore; mi misi a guardare quei ventagli e non potei più vedermi la messa.

CIUZZA Perché? Che vide in quei ventagli?

LUZZA Dica! Dica!

ZIA NINFA Il diavolo, figliuole mie! Come se mi si fosse seduto accanto per farmi notare come si facévano vento le signore. State a vedere.

> *Siede e tutte le fanno cerchio.*

Le signorine da marito, così:

*fa il gesto di scuotere fitto fitto il ventaglio, e dice
precipitosamente, accompagnando il gesto, impet-
tita:*

« L'avrò! l'avrò! l'avrò! l'avrò! l'avrò! » Le signore
maritate, così:

muove la mano con grave, placida soddisfazione:

« Io ce l'ho! io ce l'ho! io ce l'ho! » Mentre le povere vedove:

*muove la mano con sconsolato abbandono, dal pet-
to al grembo:*

« L'avevo e non l'ho più! l'avevo e non l'ho più!
l'avevo e non l'ho più! »

Ridono tutte.

E avevo un bel farmi la santa croce, non riuscii a
scacciare quella tentazione.

CIUZZA, LUZZA E NELA (*a coro, facendosi vento con
le mani come se fossero ventaglini*) Oh bella, sì!
L'avrò! l'avrò! l'avrò! l'avrò! l'avrò!

LA MOSCARDINA Ih, come sono contente, guardàtele!

*A questo punto, da lontano, si ode la voce di Liolà
che ritorna col carretto dal paese, cantando.*

CANTO di LIOLÀ
    Ventidue giorni e più che non ti vedo;
    come un cagnolo alla catena abbajo...

GESA Oh, ecco Liolà che torna col carretto.

CIUZZA, LUZZA E NELA (*correndo sul davanti della tettoja coi bambini in braccio*) Liolà! Liolà! Liolà!

*E così gridando festosamente, con le mani gli fanno
cenno d'accostarsi.*

ZIA NINFA Giù, ragazze, giù a terra questi bambini: se

no, davvero non mi farà più arrivare alla messa quel matto!

LIOLÀ (*entrando, vestito da festa con un abito di velluto verde, giacchetta a vita e calzoni a campana; in capo un berrettino a barca, all'inglese, con due nastrini che gli pendono dietro*) Ih, le han già bell'e trovate le mamme questi ragazzi! Ma tre, troppe!

Mettendo a terra prima Tinino, poi Calicchio e in fine Pallino:

> E questo è LI, e questo è O, e LÀ
> e tutt'e tre che fanno LIOLÀ!

Mentre le ragazze ridono e battono le mani, s'accosta alla madre.

E lei, come? ancora qua?

ZIA NINFA   No, ecco, vado, vado...

LIOLÀ   Dove? Al paese, a quest'ora? Eh via! Non pensi più alla messa per oggi. – Zia Croce, *benedicite!*

ZIA CROCE   Santo, e fatti in là, figlio!

LIOLÀ   In là? E se mi volessi accostare?

ZIA CROCE   Prenderei il matterello e te lo sbatterei in testa.

CIUZZA   (*approvando*) Per farne uscire il sangue pazzo, sì sì!

LIOLÀ   Ci avresti gusto tu, eh? ci avresti gusto se mi facesse uscire dalla testa il sangue pazzo?

L'afferra per chiasso.

LUZZA e NELA   (*afferrando lui per difendere la compagna*) Oh, giù le mani! giù le mani!

LA MOSCARDINA   Che matto! Lasciatelo, ragazze! Non vedete come s'è parato?

CIUZZA   Uh già, di gala! Perché?

LUZZA   Che galanteria!

NELA   Di dov'è sbarcato quest'Inglese?

LIOLÀ (*pavoneggiandosi*) Sono bello, sì o no? Mi faccio sposo!

CIUZZA Con quale diavola dell'inferno?

LIOLÀ Con te, bellezzina, non mi vuoi?

CIUZZA Foco e pece, Signore, piuttosto!

LIOLÀ E allora con te, Luzza! Via, se per davvero ti volessi...

LUZZA (*impronta*) Non ti vorrei io!

LIOLÀ Ah no?

LUZZA (*pestando un piede*) No.

LIOLÀ Fate le sdegnose perché sapete che non vi voglio, nessuna delle tre: altrimenti, appena un soffio

soffia

così, e volereste! Ma che volete che me ne faccia di tre farfalline come voi? Un pizzicotto, una spremutina; e sarebbero anche sprecati! Non fate per me.

    Regina di bellezza e di valore
    dev'essere colei che avrà potere
    di mettermi a catena mente e cuore.

CIUZZA, LUZZA e NELA (*battendo le mani*) Evviva, evviva Liolà! Un'altra! Un'altra, Liolà!

GESA Le sfila come una corona!

LA MOSCARDINA Un'altra, su! Non ti far pregare!

LE RAGAZZE Sì sì, un'altra! un'altra!

LIOLÀ Eccomi qua! Non mi son mai fatto pregare!

Ai suoi tre cardelli, mettendoseli attorno:

Attenti, vojaltri.
    Ho per cervello
    un mulinello:
il vento soffia e me lo fa girare.
Con me, gira il mondo, e pare
    gira e pare
    gira e pare
    gira e pare un carosello.

Intona un motivo di danza e gira intorno batten-
do i piedi e le mani in cadenza, coi tre bambini che
gli saltano attorno; poi si ferma e riprende:

Oggi per te mi struggo, m'arrovello,
sembro uscito di cervello;
ma tu domani, cara comare,
non m'aspettare,
non m'aspettare.
Ho per cervello un frullo, un mulinello,
il vento soffia e me lo fa girare.

Motivo di danza e balletto dei bambini c.s. Le ra-
gazze ridono e battono le mani; la zia Croce, in-
vece, si mostra seccata.

LA MOSCARDINA   E bravo! Così la vuoi trovare la re-
gina?

LIOLÀ   E chi vi dice che non l'abbia già trovata, e che
lei non sappia perché rido e canto così? Fingere è
virtù; e chi non sa fingere non sa regnare.

ZIA CROCE   Basta, basta, ragazzi! Finiamola adesso, che
ho tanto qua da rassettare!

LA MOSCARDINA   E il patto, scusi, con zio Simone?
Deve darci da bere!

ZIA CROCE   Che bere più, scordàtevelo! Dopo quello
che v'è scappato di bocca!

LA MOSCARDINA   Oh quest'è bella! Lo sai, Liolà, perché non vuol più darci da bere, zio Simone? Perché
gli ho detto che non ha figli a cui lasciare l'eredità!

CIUZZA   Vedi un po' se questa è una ragione!

LIOLÀ   Lasciate fare a me.

Va alla porta del magazzino e chiama:

Zio Simone! Zio Simone! Venga qua! Ho una buona notizia per lei.

ZIO SIMONE   (*uscendo dal magazzino*) Che vuoi, pezzo
d'imbroglione?

LIOLÀ Hanno messo una legge nuova, fatta apposta per noi. Dico, per alleggerire le nostre popolazioni. Stia a sentire. Chi ha una troja che gli fa venti porcellini, è ricco, non è vero? Se li vende; e più porcellini gli fa, più ricco è. E così una vacca; quanti più vitellini gli fa. Consideri ora un pover'uomo con queste donne nostre che Dio liberi, appena uno le tocca, patiscono subito di stomaco. È una rovina, no? Bene, il Governo ci ha pensato. Ha messo la legge che i figli, d'ora in poi, si possono vendere. Si possono vendere e comprare, zio Simone. E io, guardi,

gli mostra i tre bambini

posso aprir bottega. Vuole un figlio? Glielo vendo io. Qua, questo.

Ne prende uno.

Guardi com'è bello in carne! Tosto tosto! Pesa venti chili! Tutta polpa! Prenda, prenda, lo soppesi! Glielo vendo per niente: per un barile di vino cerasolo!

Le donne ridono, mentre il vecchio, urtato, si schermisce.

ZIO SIMONE Vàttene, finiscila, ché non mi piace scherzare su queste cose!

LIOLÀ Le pare ch'io scherzi? Le dico sul serio! Se lo compri, se non ne ha; e finisca di star così, con le penne tutte arruffate come un cappone malato!

ZIO SIMONE (*sulle furie, tra le risate delle donne*) Lasciatemene andare, lasciatemene andare, se no, davvero, per Cristo, non so più quello che faccio!

LIOLÀ (*trattenendolo*) Nossignore, stia qua, e non s'offenda! Siamo tutti buoni vicini, una covata di zotici; una mano lava l'altra! Io sono prolifico; lei, no...

ZIO SIMONE   Ah, io no? Tu lo sai, è vero? Te lo vorrei far vedere!

LIOLÀ   (*fingendosi spaventato*) A me, far vedere? No, Dio liberi! Vuol far vedere il miracolo?

Spingendogli avanti ora l'una ora l'altra delle tre ragazze:

Si provi con questa, ecco! Con questa! O con quest'altra!

ZIA CROCE   Ohé, ohé, ragazzi! dove siamo? Finiamola con questo scherzo che non mi piace!

LIOLÀ   Niente di male, zia Croce. Siamo in campagna: c'è chi abita in su, c'è chi abita in giù: zio Simone abita in giù: vecchierello: flaccido, lasco: se gli dànno una ditata, gli resta il segno.

ZIO SIMONE   (*avventandosi con la mano levata*) Ah, pezzo di catapezzo, aspetta che te lo lascio io il segno!

Liolà, di sfaglio, si schermisce, e zio Simone sta per cadere.

LIOLÀ   (*sorreggendolo per il braccio*) Eh eh, zio Simone, beva vino ferrato!

CIUZZA, LUZZA e NELA   Che cos'è, che cos'è il vino ferrato?

LIOLÀ   Che cos'è? Si prende un pezzo di ferro, s'arroventa, si ficca dentro un bicchiere di vino, e giù! Fa miracoli. – Ringrazi Dio, zio Simone, che ancora non lo spossessano.

ZIO SIMONE   Mi dovrebbero anche spossessare?

LIOLÀ   E come no? Anche questa legge possono mettere domani. Scusi. Qua c'è un pezzo di terra. Se lei la sta a guardare senza farci nulla, che le produce la terra? Nulla. Come una donna. Non le fa figli. – Bene. Vengo io, in questo suo pezzo di terra: la zappo; la concimo; ci faccio un buco; vi butto il seme: spunta l'albero. A chi l'ha dato quest'albero la terra? – A me! – Viene lei, e dice di no, che è suo. –

Perché suo? perché è sua la terra? – Ma la terra, caro
zio Simone, sa forse a chi appartiene? Dà il frutto a
chi la lavora. Lei se lo piglia perché ci tiene il piede
sopra, e perché la legge le dà spalla. Ma la legge domani può cambiare; e allora lei sarà buttato via con
una manata; e resterà la terra, a cui getto il seme, e
là: sfronza l'albero!

ZIO SIMONE   Eh, vedo che la sai lunga tu!

LIOLÀ   Io? No. Non abbia paura di me, zio Simone.
Non voglio nulla io. Glielo lascio a lei di lambiccarsi il cervello per tutti i suoi danari e d'andar con
gli occhi di qua e di là come le serpi.

    Io, questa notte, ho dormito al sereno;
    solo le stelle m'han fatto riparo:
    il mio lettuccio, un palmo di terreno;
    il mio guanciale, un cardoncello amaro.
    Angustie, fame, sete, crepacuore?
    non m'importa di nulla: so cantare!
    canto e di gioja mi s'allarga il cuore,
    è mia tutta la terra e tutto il mare.
    Voglio per tutti il sole e la salute;
    voglio per me le ragazze leggiadre,
    teste di bimbi bionde e ricciolute
    e una vecchietta qua come mia madre.

*Abbraccia e bacia la madre, mentre le ragazze, com-
mosse, battono le mani; poi, voltandosi alla zia
Croce:*

Via, via, che altro c'è da fare, zia Croce? Traspor-
tare le mandorle schiacciate nel magazzino di zio Simone? – Pronti! – Ragazze, avanti, sbrighiamoci, ché
poi zio Simone ci darà da bere!

*Entra nel magazzino; poi, dalla porta si mette a
caricare sulle spalle delle donne i sacchi pieni di
mandorle.*

Sotto, a chi tocca! – Qua a te, Nela! Via! – Qua,

Ciuzza! Via! – A te, Luzza! Via! – Qua a voi, Moscardina, coraggio! – A lei questo piccolino, zia Gesa! – E questo ch'è il più grosso di tutti me lo carico io! – Su, andiamo, ragazze! Andiamo, zio Simone!

ZIO SIMONE (*a zia Croce*) Ritornerò più tardi a portarvi i danari, cugina.

ZIA CROCE Non vi date fretta, cugino: me li darete col vostro comodo.

LIOLÀ (*a zia Ninfa*) Lei mi venga dietro coi bambini, ché uno, è certo, glielo venderemo.

S'avvia con le donne e con zio Simone; quando tutti sono usciti, torna indietro.

M'aspetti un po', zia Croce; tornerò per dirle una cosa.

ZIA CROCE A me?

Tuzza scatta in piedi, rabbiosamente.

LIOLÀ (*voltandosi a guardarla*) O che ti prende?

ZIA CROCE (*voltandosi anche lei a guardare la figlia*) Già. Che significa?

LIOLÀ Niente, zia Croce. Sarà stato un crampo. Non ci faccia caso. Ritornerò di qui a poco.

Via per il fondo, col sacco in ispalla.

TUZZA (*subito, con rabbia*) Badi che non lo voglio! non lo voglio! non lo voglio!

ZIA CROCE (*restando*) Non lo vuoi? Che dici?

TUZZA Vedrà che verrà a chiederle la mia mano. Non lo voglio!

ZIA CROCE Sei pazza? E chi te lo vuol dare? – Ma dimmi un po': come può aver l'ardire, lui, di venire a chiedermi la tua mano?

TUZZA Se le dico che non lo voglio! – Non lo voglio!

ZIA CROCE Rispondi a me, scellerata: ti sei messa con lui? – Ah, dunque è vero! – Dove? Quando?

TUZZA Non gridi così, alla vista di tutti!

ZIA CROCE Infame! Infame! Ti sei perduta?

Afferrandola per le braccia e guardandola negli occhi:

Dimmi! Dimmi! – Vieni dentro! Vieni dentro!

Se la trascina in casa e chiude la porta. Si sentono dall'interno pianti e grida. Intanto dalla casa colonica lontana di zio Simone vengono canti e suoni di cembalo. Poco dopo zia Croce viene fuori tutta sossopra, con le mani nei capelli e, come una pazza, senza sapere ciò che fa, si mette a rassettare sotto la tettoia, farneticando.

Ah Dio, la santa domenica! la santa domenica! E come si farà ora? Io l'ammazzo, io l'ammazzo. Tenétemi le mani, Signore, l'ammazzo! Ha il coraggio di dire che sono io la colpa, svergognata! io, perché m'ero messo in capo di darla in moglie a zio Simone e perché – dice – l'avevo messo in capo anche a lei!

Rifacendosi davanti alla porta:

Ma quand'anche fosse vero, era una ragione questa perché tu ti mettessi con quel laccio di forca?

TUZZA (*affacciandosi alla porta, tutta scarmigliata e pesta, ma impronta e fiera*) Sì, sì, sì.

ZIA CROCE Stai dentro, faccia da galera! Non ti far vedere da me in questo momento, o, com'è vero Dio...

TUZZA Vuol lasciarmi parlare, sì o no?

ZIA CROCE Guardate che faccia! Osa parlare! Osa parlare!

TUZZA Prima: « Parla! parla! » – tacevo – e lei, pugni e schiaffi per farmi parlare; ora che voglio parlare...

ZIA CROCE Che vuoi dirmi più? Non ti basta quello che m'hai lasciato capire?

TUZZA Le voglio dire perché mi son messa con Liolà.

ZIA CROCE Perché? perché sei una svergognata, ecco perché!

TUZZA No. Perché quando zio Simone, invece di prendersi me, si prese quella santarella di Mita, io sapevo che questa santarella faceva all'amore con Liolà.

ZIA CROCE Ebbene? Che c'entrava più Liolà, dopo che Mita s'era maritata con zio Simone?

TUZZA C'entrava, perché, dopo quattr'anni dal matrimonio, ancora le girava come una farfalla attorno al lume. Gliel'ho voluto levare!

ZIA CROCE Ah, per questo?

TUZZA Sì, per questo! Quante cose doveva avere quella morta di fame? Non bastava il marito ricco? Anche l'amante festoso?

ZIA CROCE Stupida! Stupida! E non capisci che così hai fatto il tuo danno soltanto? Ora non ti resta più che di maritarti –

TUZZA (*subito*) – che? io, con quello? io, un marito che sarebbe mio e di tutte? Fossi matta! Mi contento perduta. Ma sa perché? Perché il mio danno ora posso rovesciarlo addosso a chi me l'ha portato. Rovinata io, rovinata lei. Questo volevo dirle.

ZIA CROCE E come? Oh Dio! Mi pare impazzita, mi pare!

TUZZA Non sono pazza, no! Veda che zio Simone –

ZIA CROCE – zio Simone? –

TUZZA – non è da ora che mi dice d'esser tanto pentito di non avermi preso in moglie in luogo di Mita.

Così dicendo, comincia a rilisciarsi i capelli e rifarsi la pettinatura, mentre gli occhi le s'accendono di malizia.

ZIA CROCE Lo so: l'ha detto anche a me. Ma che forse tu...?

TUZZA (*fingendosi inorridita*) No, che! io? con mio zio?

ZIA CROCE E allora? Che vuoi fare? Io non ti capisco!

TUZZA   Quanti parenti ha zio Simone? Più di quanti
capelli abbiamo in capo, non è vero?

E le mostra i capelli che ora sta a intrecciare.

E figli, nessuno. Bene. Non poté essere prima; potrà
essere ora.

ZIA CROCE   (*trasecolata*) Vorresti dargli a intendere
che il figlio...?

TUZZA   No, non intendere! Non ce ne sarà bisogno. Mi
butterò ai suoi piedi; gli confesserò tutto.

ZIA CROCE   E poi?

TUZZA   E poi darà lui a intendere agli altri, e prima
di tutti alla moglie, che il figlio è suo. Gli basterà
averlo così, pur di prendersi questa soddisfazione.

ZIA CROCE   Tu sei il diavolo! Tu sei il diavolo! Vuoi
far credere a tutti...?

TUZZA   Persa per persa, ora che il male me lo son fatto con quello...

ZIA CROCE   (*subito, interrompendo*) Via, via dentro,
via dentro: eccolo qua che viene con Liolà!

Tuzza, subito, dentro.

Ah, Madonna mia, come farò a reggere ora? come
farò?

*Prende la scopa e si mette a scopare tutti i gusci
delle mandorle rimasti per terra, fingendosi in gran
faccende.*

LIOLÀ   (*entrando con zio Simone*) Dia, dia i danari a
sua cugina, zio Simone, e se ne vada, perché ho da
parlare io, ora, a zia Croce.

ZIA CROCE   Tu? E chi sei tu, che comandi così a mio
cugino d'andarsene? Qua, per tua norma, mio cugino è come a casa sua. Entrate, entrate, cugino: di
là c'è Tuzza.

ZIO SIMONE   Posso darli a lei i danari?

ZIA CROCE   Se volete; e se no, è lo stesso. Siete il padrone, e potete fare tutto quello che vi piacerà. En-

trate, e lasciatemi sentire ciò che mi vuol dire questo matto.

ZIO SIMONE Non gli date retta, cugina: vi farà girar la testa, come l'ha fatta girare a me. È matto davvero!

Entra nella casa colonica, e zia Croce ne richiude la porta.

LIOLÀ (*quasi tra sé*) Eh sì: lo sto vedendo...

ZIA CROCE Che dici?

LIOLÀ Niente. Le volevo fare un discorsetto; ma che so! mi pare... mi pare che non ce ne sia più bisogno. Lei dice che son matto; zio Simone dice che son matto; e sto proprio vedendo che avete ragione tutt'e due! Si figuri che gli volevo vendere un figlio! Un figlio, a lui! Lo vuole gratis; e mi pare che abbia già bell'e trovata la via, d'averlo gratis.

ZIA CROCE Che dici? che stai farneticando?

LIOLÀ Ho visto sua figlia Tuzza springare un palmo da terra appena le dissi che volevo tornare a parlarle...

ZIA CROCE Me ne sono accorta anch'io. E con questo?

LIOLÀ Ora vedo che lei fa entrare in casa con tanti vezzi e moine zio Simone che se ne sta qua dalla mattina alla sera...

ZIA CROCE Hai comandi da dare tu in casa mia, se zio Simone entra, se esce?

LIOLÀ Nessun comando, zia Croce. Sono venuto soltanto per fare il mio dovere. Non voglio che si dica che sia mancato per me.

ZIA CROCE Quale sarebbe, sentiamo, questo tuo dovere?

LIOLÀ Ecco: glielo dico subito. Ma già lei lo sa. Non sono uccello di gabbia, zia Croce. Uccello di volo, sono. Oggi qua, domani là: al sole, all'acqua, al vento. Canto e m'ubriaco; e non so se m'ubriachi più il canto o più il sole. Con tutto questo, eccomi qua: mi taglio le ali e vengo a chiudermi in gabbia da me. Le domando la mano di sua figlia Tuzza.

ZIA CROCE   Tu? Eh, vedo che proprio sei uscito di cervello. Mia figlia? Vuoi ch'io dia mia figlia a uno come te?

LIOLÀ   Dovrei ringraziarla, zia Croce, e baciarle la mano per questa risposta. Ma badi che sua figlia me la deve dare: non per me; per lei.

ZIA CROCE   Mia figlia? Guarda: piuttosto che darla a te, io la mando alla forca. Hai capito? Alla forca. – O non ti basta, di', aver rovinato tre povere ragazze?

LIOLÀ   Eh via, la smetta, zia Croce, che non ho mai rovinato nessuno, io!

ZIA CROCE   Tre figli! Ti son nati soli? Tu sei come quelle serpi che impastojano le vacche!

LIOLÀ   Si stia zitta, ché lo sa bene come e da chi mi son nati quei figli! Lo sanno tutti! – Ragazzotte di fuorivia. – Male è forzare una porta ben guardata; ma chi va per una strada aperta e battuta... Ognuno, anzi, le so dire, non si sarebbe fatto scrupolo di buttar da un lato col piede ogni intoppo per queste strade. Io no. Tre povere creaturine innocenti... Stanno con mia madre, e non darebbero impiccio, zia Croce. Maschietti, quando cresceranno, lei lo sa, per la campagna, quante più braccia c'è, più ricchi siamo. Sono buon massajo: garzone, giornante; mieto, poto, falcio fieno; fo di tutto e non mi confondo mai: sono, zia Croce, come un forno di pasqua, e potrei mantenere tutto un paese.

ZIA CROCE   Bravo, ragazzo mio: vedi ora a chi devi andare a tenerlo, codesto bel discorso: con me, non attacca.

LIOLÀ   Zia Croce, non mi dica così. Badi che, infamità, come non voglio farne io a nessuno, così non voglio che ne facciano gli altri, servendosi di me! – Desidero che me lo dica sua figlia, in presenza di zio Simone, che non mi vuole.

ZIA CROCE Non ti vuole! Non ti vuole! Me l'ha detto lei stessa, qua, or è poco! Detto e ripetuto. Non ti vuole!

LIOLÀ (*tra sé, stringendosi il labbro con due dita*) Ah, dunque è vero?

Fa per lanciarsi alla porta; ma zia Croce lo previene e gli si para davanti: restano un momento a guardarsi negli occhi.

Zia Croce!

ZIA CROCE Liolà!

LIOLÀ Voglio che me lo dica Tuzza, ha capito? Tuzza con la sua bocca, e davanti a zio Simone!

ZIA CROCE E dàlli! Non ha più nulla da dirti Tuzza. Te lo sto dicendo io, e basta così! Vàttene, vàttene via, che sarà meglio per te.

LIOLÀ Ah sì, per me, certo; ma non sarà meglio per un'altra: lei m'intende! Badi che non le verrà fatta, zia Croce!

Le mette un braccio sotto il naso.

Annusi!

ZIA CROCE Vàttene, che vuoi che annusi?

LIOLÀ Non ne sente l'odore?

ZIA CROCE Sì, della malacarne che sei!

LIOLÀ No, del guastafeste che sono! Non perdo per una mischiata mal fatta, io, se lo tenga bene in mente! — Per ora mi prendo questa boccata di paglia, e la saluto.

ZIA CROCE Sì, sì, bravo, tira via, tira via, e statti lontano, lontano.

LIOLÀ (*masticando tra i denti, ridacchiando e pigliandola alla larga per passare davanti alla porta di Tuzza, canta e, dopo ogni verso, sghignazza*)

Ora com'ora, nessun ci fa caso (*ah ah ah*)
Rischi, se sali, di romperti il muso (*ah ah ah*)
E resterai con un palmo di nasòòò...

Sghignazzata più lunga.

A rivederla, zia Croce!

Via dal fondo.

Zia Croce resta sopra pensiero. Poco dopo, la porta della casa colonica è aperta e ne vengono fuori zio Simone e Tuzza: questa, disfatta dal pianto (finto o vero); quello, turbato e costernato. Restano un pezzo in silenzio, perché zia Croce avrà fatto loro, subito, cenno di tacere.

ZIO SIMONE *(domandando piano)* Che ha detto? Che voleva?

VOCE di LIOLÀ *(in lontananza)*
    E resterai con un palmo di nasòòò...

ZIO SIMONE *(a Tuzza)* Ah! Con lui?

Tuzza si nasconde la faccia tra le mani.

Ma... ma dimmi: lo sa?

TUZZA *(subito)* No no, non sa nulla! Non lo sa nessuno!

ZIO SIMONE Ah, bene.

A zia Croce:

Solo a questo patto, cugina: che non lo sappia nessuno! E il figlio – è mio!

VOCE di LIOLÀ *(da più lontano)*
    E resterai con un palmo di nasòòò...

Tela

ATTO SECONDO

Parte del casale. A sinistra, quasi a metà della scena, la rustica casupola di Gesa. Se ne vede il davanti, e, di sguincio, il lato manco. Sul davanti è una porticina che dà sull'orto, riparato lateralmente, cioè dallo spigolo della casa fino al proscenio, da una siepe di rovi

secchi, con un passaggio in mezzo, a mo' di rastrello.
Nel lato manco della casupola si vede un'altra porta,
che è quella di strada. Nel lato destro della scena, la ca-
sa di Liolà, con porta e due finestre. Tra la siepe del-
l'orto e la casa di Liolà è una straducola di campagna.

Al levarsi della tela Gesa è seduta nell'orto, intenta
a sbucciare patate, con un grosso colapasta di sta-
gno tra le gambe. I tre ragazzi di Liolà le stanno
attorno.

GESA   Sei bravo davvero, tu Pallino?

PALLINO   Bravo, sì.

CALICCHIO   Anch'io!

GESA   Anche tu?

TININO   E anch'io! anch'io!

GESA   Ma chi più, di voi tre?

PALLINO   Io, io!

CALICCHIO   No, io! io!

TININO   No, no, io! io! io!

GESA   Tutt'e tre, tutt'e tre! Bravi a un modo tutti e
tre! Pallino però è il più grandicello, non potete
negarlo! E dunque, tu Pallino, di' un po': sapresti
andare a cogliermi là – là vedi?

indica un punto nell'orto, alla sua destra, fuori
scena

– tre cipolline?

PALLINO   Sì, sì.

Fa per correre.

GESA   Aspetta!

CALICCHIO   Anch'io! Anch'io!

TININO   Anch'io!

GESA   Buoni, buoni, una cipollina per uno! una per
uno! Vi condurrà Pallino.

TUTT'E TRE   (*correndo al punto indicato*) Sì, sì, sì.

GESA   Piano! Tre sole! Bravi, così, così! Basteranno!

*I tre ragazzi ritornano, ciascuno con una cipollina
in mano.*

GESA   Ah, è proprio vero, tutt'e tre bravi allo stesso
modo.

*A questo punto dalla casa di Liolà si sente la voce
di zia Ninfa che chiama con un verso che dev'es-
serle abituale.*

VOCE DI ZIA NINFA   Pallino, Calicchio, Tinino.

GESA   Sono qua con me, zia Ninfa, stia tranquilla.

ZIA NINFA   (*mostrandosi alla porta*) Appiccicati a voi
come le mosche! Venite dentro, subito dentro!

GESA   Li lasci stare, zia Ninfa: non mi dànno fastidio.
Anzi, m'ajutano.

ZIA NINFA   Se vi dànno fastidio, cacciàteli via!

GESA   Non dubiti, con me stanno quieti come tre tar-
tarughine.

ZIA NINFA   Così va bene.

Rientra in casa.

GESA   Altrimenti, papà, appena di ritorno... – dite un
po': che fa, che fa, papà?

PALLINO   (*serio serio*) C'insegna a cantare.

GESA   E non vi suona anche sul culetto, se non siete
buoni e fate dannar la nonna?

*Dal fondo della straducola sopravviene Ciuzza che
si ferma e s'affaccia alla siepe.*

CIUZZA   Per piacere, zia Gesa, avrebbe da prestare a
mia madre uno spicchietto d'aglio?

GESA   Sì, vieni, vieni dentro, Ciuzza,

indica alle sue spalle l'uscio di casa

va' pure a prenderlo da te.

CIUZZA   (*spingendo il rastrello ed entrando*) Grazie,
zia Gesa. Li ha sempre qua con lei questi ragazzi?

Carini! Chi non vorrebbe far loro da mamma?

GESA   Eh, tu con tutto il cuore, m'immagino!

CIUZZA   Dico, per carità, badiamo, zia Gesa!

GESA   Ah, certo! Per carità! chi può metterlo in dubbio?

CIUZZA   Mi dica intanto una cosa. Liolà...

Sopravvengono dal fondo della straducola Luzza e Nela, che s'affacciano anch'esse alla siepe.

LUZZA   Zia Gesa, ci vuole? Uh, guarda, c'è anche Ciuzza!

GESA   (Ecco le altre due!)

NELA   Siamo venute per ajutarla, zia Gesa! Sta a sbucciar le patate?

GESA   Volete ajutarmi? Dio vi benedica, come siete massaje! (Pare che ci sia il vischio in quest'orticello.) Entrate, entrate pure. Non è ancora tornato però.

Allude maliziosamente a Liolà.

NELA   (*fingendo di non capire*) Chi, zia Gesa?

GESA   Chi? Mózzica il ditino!

LUZZA   (*sedendo sulle calcagna davanti a Gesa*) Dia, dia qua, ho il coltellino: l'ajuto a sbucciare.

GESA   Ma non così! Su, Pallino, va' a prendere una seggiola!

NELA   Vado io, vado io, zia Gesa!

Va e ritorna con tre seggiole.

GESA   Così, belle, tutt'e tre sedute qua, e solo per ajutar me! Non vorrei intanto che tua madre, Ciuzza, stia ad aspettare quello spicchietto d'aglio!

CIUZZA   No, che! Le serve per stasera.

GESA   Eh, mi pare che sia già sera! – Fate conto ch'è qua.

Allude di nuovo a Liolà.

CIUZZA (*fingendo anche lei di non capire*) Chi, zia Gesa?

GESA Il gatto! – Mózzica il ditino anche tu!

LUZZA Intende Liolà?

GESA Maliziosa, io; non lo sai?

CIUZZA Le volevo domandare, zia Gesa, se è vero che Tuzza della zia Croce non ne ha voluto sapere.

GESA (*fingendo di non capir lei, questa volta*) Sapere, di chi?

LUZZA (*mentre le altre ridono*) Ah, lo mózzichi lei, ora, il ditino!

NELA Io ho sentito dire che è stata la madre: zia Croce.

LUZZA Lei non ne sa nulla?

CIUZZA Ma no, dicono che è stata proprio lei, Tuzza.

NELA Tuzza? Ma se...

si tura la bocca

– via, non mi fate parlare!

LUZZA Ma lui, Liolà, che ne dice? Lo vorremmo sapere!

GESA Lo volete sapere da me? Andate a domandarlo a lui!

CIUZZA Per me ci avrei un gusto!

LUZZA Ah, anch'io!

NELA E anch'io, anch'io!

CIUZZA Gli pareva che tutte le donne, appena con la mano faceva così, si sarebbero buttate dalle finestre a terra per lui!

GESA Vojaltre no, nessuna delle tre!

LUZZA Chi lo calcola?

CIUZZA Chi lo cerca?

NELA Chi lo vuole?

GESA Eh, si vede!

LUZZA Perché ora siamo qua a domandarle...?

NELA Siamo qua perché vorremmo sentire come lo fa cantare il dispetto!

CIUZZA Deve friggere, friggere, me l'immagino!

LUZZA Che fa, canta? canta?

NELA Dica, dica, zia Gesa! Canta?

GESA (*turandosi le orecchie*) O oh! ragazze! che volete da me? Là c'è zia Ninfa: domandatelo a lei, se canta o non canta!

Zia Ninfa, come chiamata, si mostra su l'uscio.

ZIA NINFA Che cos'è? avete nel giardino le cicale, comare Gesa?

LUZZA, CIUZZA e NELA (*subito confuse: a un tempo*)
– Niente, niente, zia Ninfa!
– Buona sera, zia Ninfa!
– (Uh, guarda, era là!)

GESA Altro che cicale, mi paiono tre vespe, zia Ninfa, si sono attaccate a me per sapere...

LUZZA, CIUZZA, NELA
– No, niente!
– Non è vero!
– Non è vero!

GESA – ma sì! se Liolà canta per dispetto, perché Tuzza della zia Croce Azzara non l'ha voluto per marito.

ZIA NINFA Mio figlio? Chi l'ha detto?

LUZZA, CIUZZA e NELA
– Lo dicono tutti!
– E per esser vero è vero!
– Non lo neghi, zia Ninfa!

ZIA NINFA Io non ne so nulla! Ma, ammesso che sia vero, Tuzza ha fatto bene, e meglio ha fatto zia Croce sua madre, se non ha voluto dargliela. Madre io, non dico una figlia, ma neppure una cagna vorrei affidare a uno come mio figlio Liolà. Che che! Guardàtevene, ragazze! Tutti i più neri peccatacci li ha lui! Come dal diavolo dovete guardarvene! E poi, con tre creaturine qua... – Su su, piccini, a casa! a casa!

A questo punto dal fondo della straducola si sen-

*tono le grida della Moscardina che viene tutta scal-
manata con le mani in aria.*

LA MOSCARDINA Gesù! Gesù! Che cose! Cose da non
credersi! Non c'è più dov'arrivare!

CIUZZA Uh, la Moscardina! Sentite come grida?

LUZZA Che avete?

NELA Perché gridate così?

LA MOSCARDINA (*entrando nell'orto*) Che rovina! Che
rovina, comare Gesa, in casa di vostra nipote!

GESA (*balzando in piedi*) Mia nipote? Che le è accaduto? Parlate!

LA MOSCARDINA Fa come una Maria, con le mani nei
capelli!

GESA Perché? Perché? Ah, Madre di Dio! Lasciatemi
andare! Lasciatemi andare!

*Via di corsa per la straducola, voltando e scompa-
rendo a manca.*

LE ALTRE (*a una voce*) Che è accaduto a Mita? Parlate! Ch'è stato?

LA MOSCARDINA Zio Simone, suo marito –

Le guarda, e non aggiunge altro.

QUELLE (*subito, incitandola*)
– Ebbene?
– Dite!
– Che ha fatto?

LA MOSCARDINA S'è messo con sua nipote!

LUZZA, CIUZZA, NELA e ZIA NINFA (*a un tempo*)
– Con Tuzza?
– Possibile?
– Oh guarda!
– Gesù, che dite!

LA MOSCARDINA Proprio così! E pare che Tuzza già...

*Fa di nascosto a zia Ninfa un certo gesto che la-
scia intendere: incinta.*

ZIA NINFA (*con orrore*) Madonna, liberateci!

LUZZA, CIUZZA e NELA   Che significa? Che significa? – Tuzza? – Che pare? Che ha fatto?

LA MOSCARDINA   Via, via, ragazze! Non son cose per vojaltre! via!

ZIA NINFA   Ma è certo? è certo?

LA MOSCARDINA   Lui stesso, zio Simone, è andato a vantarsene con la moglie!

ZIA NINFA   Ha avuto questa impudenza?

LA MOSCARDINA   Sì: ch'era vero che non mancava per lui; e che se avesse preso in moglie sua nipote, a quest'ora, non uno, tre figli avrebbe potuto avere!

CIUZZA   (*a zia Ninfa*) Ma scusi, non se la diceva con suo figlio Liolà Tuzza fino a jeri?

ZIA NINFA   T'ho detto che non ne so nulla!

LA MOSCARDINA   Oh, zia Ninfa, non facciamo storie! Lo negherebbe? O davvero si vuol bere che zio Simone da sé...? Madre e figlia d'accordo, hanno messo il vecchio nel sacco!

ZIA NINFA   Che che! che che!

LA MOSCARDINA   Calunnia?

ZIA NINFA   Che c'entri mio figlio, sì!

LA MOSCARDINA   Zia Ninfa, le mani mi farei tagliare, prima l'una e poi l'altra!

CIUZZA   Anch'io!

LUZZA   Anch'io!

NELA   Lo sanno tutti!

ZIA NINFA   Tutti, e io no!

LA MOSCARDINA   Perché lei non vuol saperlo, lasciamo andare!

LUZZA   Oh, ecco qua Mita! Ecco qua Mita con sua zia!

Mita, tutta scarmigliata e in pianto, viene giù per la straducola insieme con zia Gesa che grida correndo dal fondo alla siepe e dalla siepe di nuovo al fondo, con le mani sui fianchi, mentre nell'orto le donne confortano Mita.

GESA Figlia mia! Figlia mia! Dio lo deve fulminare! Le mani, le mani addosso ha osato metterle, vecchiaccio assassino! vecchiaccio scellerato! Per giunta, le mani addosso! L'ha afferrata per i capelli, strascinata per casa, pezzo da galera! Via! Via! Lasciatemi andare al paese! La consegno qua a voi, buone vicine! Vado a ricorrere alla giustizia! In galera, in galera!

LA MOSCARDINA Fate bene! Sì, sì, andate, andate dal delegato!

ZIA NINFA No, che delegato! Da un avvocato, piuttosto! Date ascolto a me.

GESA Da tutt'e due, vado! In galera, vecchiaccio scomunicato! Ha avuto la tracotanza di dire che il figlio è suo, com'è vero che il sangue di Gesù Cristo è nel calice della santa messa!

ZIA NINFA (*turandosi gli orecchi*) Oh Dio, che cose!

GESA E in galera anche quelle due infamacce, madre e figlia! Sgualdrine! – Lasciatemi andare! Ci arriverò di notte al paese; non importa; andrò a dormire da mia sorella. Tu sei qua a casa tua, Mita, tra queste buone vicine. Ti chiudi bene, di qua e di là. Io vado. In galera! in galera... scellerato... sgualdrine...

E, così gridando, scompare in fondo alla straducola.

LA MOSCARDINA Separata, avrai diritto al mantenimento, non ti confondere!

ZIA NINFA Ma che separata! Che dite! Gliela vorresti dar vinta? Tu sei e devi restare la moglie!

MITA Ah no, basta! basta! Con lui non torno più; ne può esser certa! Neanche se m'ammazzano!

ZIA NINFA E non capisci che van cercando proprio questo?

LA MOSCARDINA Eh già: andare a spadroneggiare madre e figlia, in casa del vecchio e far mangiare l'aglio a tutti gli altri parenti!

MITA Volete dunque che mi lasci pestare sotto i piedi? No, no! Non ho più nulla da spartire con lui, adesso, zia Ninfa! Ha avuto da un'altra ciò che desiderava, e ora mi vorrebbero morta, tutt'e tre!

LA MOSCARDINA Morta? È una parola! C'è la legge, cara! Tua zia è corsa al paese.

MITA Che legge e legge! Quattr'anni che peno! Ma sapete ch'è arrivato a gridarmi in faccia? Che non dovevo arrischiarmi a dir male di sua nipote! Sì. Perché sua nipote, dice, è una ragazza onesta!

ZIA NINFA Onesta? Così t'ha detto?

LA MOSCARDINA È incredibile! È incredibile!

CIUZZA (*a Luzza e a Nela*) Onesta oh! onesta!

MITA Così! Così! Perché s'è messa con lui; e che lui le lascerà tutto, dice; perché gli ha dato la prova, dice, che non mancava per lui, ma per me; e che la legge, anzi, dovrebbe trovarci il rimedio, per un pover'uomo a cui tocchi d'imbattersi in una donna come me! Ah zia Ninfa, me lo diceva il cuore di non prendermelo! E non me lo sarei preso, se non ero –

LA MOSCARDINA – senz'ajuto, povera orfana, è vero! –

MITA – alle spalle di mia zia, a cui non potei dir di no! – Ero tanto tranquilla e contenta, qua, in questa casuccia, in quest'orticello. Lei lo può dire, zia Ninfa. Sotto i suoi occhi. Ma Dio penserà a castigare chi m'ha fatto questo tradimento.

LA MOSCARDINA (*risoluta*) Bisogna che Liolà parli, zia Ninfa!

ZIA NINFA E dàlli con Liolà! La volete finire di nominare mio figlio?

LA MOSCARDINA Oh, ragazze, ditelo voi se non è vero!

CIUZZA, LUZZA e NELA Sì sì, è vero! è vero! è stato lui! è stato lui!

MITA Io so che Liolà mi voleva bene, quando stavo qua, zia Ninfa. Che colpa ho io se, soggetta com'ero, ho dovuto maritarmi con un altro?

ZIA NINFA Ma puoi credere sul serio che Liolà te l'abbia fatto per dispetto, dopo quattr'anni?

LA MOSCARDINA Questo no, non io credo neanch'io.

Ma se è un galantuomo, Liolà ora deve andare a gridare in faccia a quel vecchiaccio scomunicato l'inganno di quelle due schifose, madre e figlia, per rovi-
nare questa povera donna! Ecco quello che deve fare,
se è un uomo di' coscienza, suo figlio, zia Ninfa! Sver-
gognare quelle due infamacce e sventare questa trama a danno d'una povera innocente!

*S'è fatta sera. Si sente la voce di Liolà che ritorna
a casa cantando.*

LA VOCE di LIOLÀ
     Tutti gli amici miei me l'hanno detto,
        l'uomo che prende moglie resta sotto...
LA MOSCARDINA   Ah, eccolo qua che torna cantando!
Ora gli parlerò io! Glielo dirò io!
CIUZZA, LUZZA e NELA   (*sporgendosi dalla siepe e chia-
mando*) Liolà! Liolà! Liolà!
ZIA NINFA   Vieni, vieni qua, figlio mio!
LA MOSCARDINA   Qua, Liolà!
LIOLÀ   (*alla Moscardina*) Agli ordini!

                Poi, alle ragazze.

Oh, le colombelle!
LA MOSCARDINA   Lascia le colombelle! Vieni qua.
Guarda chi c'è: Mita!
LIOLÀ   Oh, Mita... Che cos'è?
LA MOSCARDINA   È che ti devi far di coscienza, Liolà!
Qua Mita piange per colpa tua!
LIOLÀ   Per colpa mia?
LA MOSCARDINA   Sì; per ciò che hai fatto con Tuzza
della zia Croce Azzara.
LIOLÀ   Io? Che ho fatto?
LA MOSCARDINA   Madre e figlia vogliono dare a inten-
dere a zio Simone che il figlio –
LIOLÀ   – il figlio? che figlio? –
LA MOSCARDINA   – ah, lo domandi? quello di Tuzza! –
LIOLÀ   – di Tuzza? che dite? Tuzza è dunque...?

Fa segno per significare: incinta?

ZIA NINFA Via, ragazze, andate, andate! Fatemi questo piacere!

LUZZA Oh Dio benedetto, sempre con questo: *andate, andate...*

CIUZZA E con codesti discorsi che non sono per nojaltre!

LIOLÀ Veramente non lo capisco neanch'io, questo discorso.

LA MOSCARDINA Sì, séguita a far l'ingenuo, l'innocentino! – Insomma, ve n'andate, ragazze? Non posso parlare con vojaltre qua!

CIUZZA Andiamo, sì, andiamo! Buona sera, zia Ninfa.

LUZZA Buona sera, Mita.

NELA Buona sera, comare Càrmina.

LIOLÀ E a me niente? Neanche un salutino?

CIUZZA Va' via, impostore!

LUZZA Malacarne!

NELA Faccia di bronzo!

Via tutt'e tre per la straducola.

LA MOSCARDINA (*subito, di nuovo, risoluta*) Il figlio di Tuzza è tuo, Liolà!

LIOLÀ Eh via, finitela! O l'avete preso davvero come un vizio per queste campagne? Ogni ragazza a cui comincia ad abbondare in bocca la saliva – chi è stato? – Liolà!

LA MOSCARDINA Ah lo neghi?

LIOLÀ Vi dico di finirla! Io non ne so nulla.

LA MOSCARDINA E perché sei andato allora a domandare a zia Croce Azzara la mano di Tuzza?

LIOLÀ Ah, per questo? Stavo ancora a sentire come potessi entrarci io!

LA MOSCARDINA Vedi che non neghi più?

LIOLÀ Ma sì... così per ischerzo... di passata...

LA MOSCARDINA (*a zia Ninfa*) Lo sente, zia Ninfa?

Ora dovrebbe parlargli lei, da madre. Con me, il signorino, se la prende a ridere, mentre c'è qua una povera donna che piange. Ci vuole coscienza! Guàrdala!

LIOLÀ Eh, lo vedo che piange. Ma perché?

LA MOSCARDINA Perché, dici?

Rivolgendosi a zia Ninfa e pestando un piede:

Ma parli lei!

ZIA NINFA Perché zio Simone... a quanto pare...

LA MOSCARDINA (Oh, s'è smossa alla fine!) – A quanto pare? – Le ha messo finanche le mani addosso! –

ZIA NINFA – già, perché dice che di lei non sa più che farsene, ora che il figlio, dice, sta per averlo da sua nipote...

LIOLÀ Ah! È stato dunque lui, zio Simone? Misericordia! S'è messo con sua nipote?

ZIA NINFA (*indicando Liolà alla Moscardina*) Vedete? Mio figlio è sincero. Se fosse come voi dite...

LA MOSCARDINA (*senza badarle, rivolta a Liolà*) Vorresti farmi ingozzare, tu che non hai voluto mai saperne d'ammogliarti –

LIOLÀ – io? chi ve l'ha detto? mai saperne? Anzi! Ogni cinque minuti...

LA MOSCARDINA Ah, così, per ridere!

LIOLÀ No! Con tutto il sentimento! Non è colpa mia, scusate, se poi nessuna donna mi vuole. Mi vogliono tutte, e non mi vuole nessuna. Per cinque minuti, sì, appena mi butto... Dovrebbe correre subito un prete con l'acqua benedetta. Non corre nessuno, e il matrimonio si sconchiude. – Oh guarda guarda, Tuzza dunque... Eh, non c'è che dire, se l'è scelto bene il genero zia Croce! – Evviva zio Simone! Gli è venuto fatto dunque! – Gallo è... Vecchio, ma di buon osso, si vede... Eh sfido allora che Tuzza... Con questo bel servizio che aveva apparecchiato qua a Mita... – Be', pazienza, povera Mita, che vuoi farci?

LA MOSCARDINA (*friggendo*) Non sai dir altro? Non

sai dir altro? – Via! Via! Via! Certe bili ci piglio! Lasciatemi andare! A combattere con certuni che la coscienza se la mettono così sotto i piedi!

E va via rabbiosa con le mani per aria.

ZIA NINFA   Ma è proprio pazza, oh! La coscienza, dice! Signori miei, per forza incornata a credere che sia come sospetta lei!

LIOLÀ   Non se ne curi! Vada, vada piuttosto a mettere a letto queste tre creaturine. Guardi là, Tinino s'è addormentato.

Difatti il bambino, sdrajato a terra supino, s'è addormentato, e gli altri due sonnecchiano seduti.

ZIA NINFA   Uh, già, povero figlio mio... guardalo lì!

Accorre, si china su lui, lo chiama:

Tinino... Tinino...

A Liolà:

Su prendilo, tiralo su, e dammelo in braccio.

Liolà si cala, fa prima il segno della croce sul bimbo dormente, poi zufola per svegliarlo; ma, vedendo che il bimbo non si sveglia, accenna con la voce la solita arietta di danza, battendo le mani: allora Tinino si alza, si alzano anche gli altri due fratellini, e stropicciandosi gli occhi con le manine a pugno chiuso, cominciano a saltare; e, così saltando, tutt'e tre, accompagnati dal padre che seguita a cantare e a battere le mani, entrano in casa.

MITA   (*alzandosi*) Io entro in casa. Buona notte, zia Ninfa.

ZIA NINFA   Se hai bisogno di me, figliuola mia, appena avrò messo a letto questi piccini, ritornerò qua con te.

MITA   No, grazie. Mi chiuderò per notte. Buona notte anche a te, Liolà.

Zia Ninfa entra in casa.

LIOLÀ   Rimani a dormire qua, questa notte?

MITA   La zia è su al paese.

LIOLÀ   È andata a ricorrere?

MITA   Ha detto che andava da un avvocato.

LIOLÀ   Davvero, allora, non vuoi più ritornare da tuo marito?

MITA   Non ho più nulla da spartire con mio marito, adesso. Buona notte.

LIOLÀ   Ah, come sei sciocca, Mita!

MITA   Che vuoi, non possiamo esser tutti scaltri come te, Liolà. Vuol dire che per me ci penserà Dio.

LIOLÀ   Dio, già. – Ci dovrebbe pensare. – Ci pensò una volta. – Ma per quanto buona tu possa essere, timorata, rispettosa di tutti i santi comandamenti, certo non puoi osare di paragonarti alla Vergine Maria.

MITA   Io? Tu bestemmii!

LIOLÀ   Scusa, se dici che deve pensarci Dio! Come? Per virtù dello Spirito Santo?

MITA   Via! Via! È meglio che mi ritiri! Non posso star qua a sentire simili eresie.

LIOLÀ   Eresie... Ti sto dicendo, anzi, che Dio non può ajutarti così...

MITA   Ma non intendevo mica così io!

LIOLÀ   E come, allora? Con le scenate che viene a far qua la Moscardina? o le corse inutili al paese di tua zia? strilli, bastonate, avvocato, delegato, separazione...? oppure, cacciando me di mezzo; mandandomi a gridare in faccia a zio Simone che il figlio di Tuzza è mio? – Cose da bambini! cose che potevano venire in mente a te e a me, quando qua, in quest'orticello, giocavamo agli sposi e ogni tanto ci strappavamo i capelli e correvamo a fare i raffronti davanti a tua zia o a mia madre, ti ricordi?

MITA   Mi ricordo sì. Ma non è stata colpa mia, Liolà!

(L'ho detto or ora a tua madre.) – Dio sa dove avevo io il mio cuore, quando sposai...

LIOLÀ   Lo so anch'io, Mita, dove l'avevi. – Ma questo ora non c'entra. Ti sei maritata; non se ne parla più.

MITA   Ne ho parlato, perché m'hai domandato se mi ricordavo...

LIOLÀ   Ora il discorso è un altro. – Tu hai torto e tuo marito ha ragione.

MITA   Io, ho torto?

LIOLÀ   E scusa, non hai perduto... quanti anni? quattro? cinque? – Ecco il tuo torto! – Tuo marito s'è stancato. Sapevi bene, sposando, che ti prendeva in moglie per avere un figlio. Gliel'hai dato questo figlio? No. Aspetta oggi, aspetta domani; alla fine, tanto ha detto, tanto ha fatto, che ha trovato un'altra che glielo darà in vece tua.

MITA   Ma se Dio, a me, questa grazia non ha voluto farmela?

LIOLÀ   E se tu aspetti che piòvano fichi! Lo vorresti sul serio da Dio? Poi dici che bestemmio! Vai, vai a domandare a Tuzza, da chi lo sta avendo lei, il figlio.

MITA   Dal diavolo, lei!

LIOLÀ   No. Da zio Simone.

MITA   Dal diavolo! dal diavolo!

LIOLÀ   Da zio Simone.

MITA   Hai il coraggio d'affermarlo anche davanti a me? È un'infamia questa, Liolà!

LIOLÀ   Perciò ti dico che sei una sciocca! –

Ripigliando:

Guarda: facciamo come dice la Moscardina: vado da zio Simone; anzi, mi lego un campanaccio al collo e mi metto a gridare per tutte le campagne e le strade su al paese: *Don, don, don! Il figlio di zio Simone è mio! Don don don! Il figlio di zio Simone è mio!* – Chi ci crede? Sì, magari ci crederanno tutti. Ma

lui no, lui non ci crederà mai, per la ragione appunto che non ci vuol credere! Vai a convincerlo, se sei
buona! – E poi, via, siamo giusti! Ti pare che domani
il figlio di Tuzza nascerà con un cartellino in fronte:
– *Liolà!* – Cose cieche anche per la stessa mamma che
lo fa! – Neanche se lo scannano, stai sicura, egli crederà che il figlio non è suo! Né io ho il mezzo di
farglielo riconoscere per mio! – Ma tu stessa, tu stessa, se non sei proprio una sciocca, tu stessa, prima
di tutti, devi dirgli ch'è vero.

MITA Vero, che il figlio è suo?

LIOLÀ Sì, sì: suo! suo! e che finora non è mancato
per lui, ma per te! Tanto è vero che lui sta per averlo da Tuzza, e che, come ora sta per averlo da Tuzza, domani lo potrà avere da te!

MITA E come?

LIOLÀ Come? Te lo sto dicendo, come! Come sta per
averlo da Tuzza!

MITA Ah no! questo, no! questo, mai!

LIOLÀ E buona notte, allora! Statti quieta e non piangere più! A chi vai a ricorrere? Perché te ne scap-
pi? Con chi te la pigli? Gli altri t'insegnano come
si fa, e tu non vuoi seguir l'insegnamento. Gliela
lasci commettere tu a Tuzza l'infamia, non io! Perciò io ho negato e nego! Per te, per te nego, per il
tuo bene, e perché non c'è altro mezzo ora di sventare quest'inganno e quest'infamia! Ah, ti pare che
bruci soltanto a te? Dio solo sa quello che ho dovuto ingozzare! Quando andai là, per fare il mio dovere
di galantuomo, e sotto i miei occhi quella madraccia
infame fece entrare tuo marito dov'era Tuzza – ah!
– lo vidi come in un quadro il tradimento; vidi te,
Mita, e ciò che doveva venirtene, e giurai a me stesso
che non dovevano averla vinta! Mi cucii le labbra. E
ho aspettato questo momento! No, no, non deve passare quest'infamia, Mita! Devi darglielo tu il casti-

go! Dio stesso te lo comanda! Non deve approfittarsi di me, quell'infame, per rovinarti!

Dicendo queste ultime parole, le cinge la vita.

MITA (*divincolandosi*) No, no... lasciami, lasciami... Questo non lo farò mai... no, no, non voglio, non voglio...

Tutt'a un tratto resta sospesa, sgomenta, tendendo l'orecchio:

Ah... sss... aspetta! sento camminare... Chi viene?

LIOLÀ (*tirandola verso l'uscio*) Entriamo, entriamo subito!

MITA No, è lui... è lui, sì, mio marito, il suo passo... Scappa, scappa via, per carità!

D'un balzo Liolà è alla porta della sua casa. Mita corre quatta quatta e si rintana nella casuccia della zia, chiudendo pian piano la porticina.
Si vede comparire dal fondo della straducola zio Simone con un lanternino in mano sospeso a una catenella; s'appressa all'altra porta della casuccia, quella di strada, e bussa a più riprese.

ZIO SIMONE Zia Gesa! – Zia Gesa! – Aprite; sono io. –

Sentendo dall'interno la voce di Mita:

Ah, tu? Apri... Ti dico, apri! – Apri, se no butto la porta a terra! – Niente, devo dirti una cosa. – Sì, sì, me n'andrò; ma prima apri!

La porta si apre e zio Simone entra.
Liolà, dalla sua, allunga il collo a spiare nel bujo della notte e nel silenzio. Poi si ritrae, sentendo schiudere la porticina che dà sull'orto.

MITA (*uscendo sull'orto e chiamando*) Zia Ninfa! Zia Ninfa!

*Poi, voltandosi contro il marito che sopravviene
dall'interno della casuccia col lanternino in mano:*

No, v'ho detto no! no! Non vengo! Non voglio più
stare con voi! – Zia Ninfa! Zia Ninfa!

ZIO SIMONE   Chiami ajuto?

ZIA NINFA   (*accorrendo dalla sua casa ed entrando nel-
l'orto*) Mita! Mita! Che è? – Ah, voi, zio Simone?

MITA   (*riparandosi dietro le sue spalle*) Glielo dica
lei, glielo dica lei, zia Ninfa, per carità, che mi lasci
stare!

ZIO SIMONE   Tu sei mia moglie, e devi venire con me!

MITA   No, no! Non sono più io vostra moglie, no!
Andate a cercarla dov'è, vostra moglie, in casa di
quella schifosa di vostra cugina!

ZIO SIMONE   Stai zitta, stai zitta, o per Cristo ti faccio
sentire di nuovo il peso delle mie mani!

ZIA NINFA   (*riparando Mita*) Eh via, basta, zio Simone!
Lasciatela almeno sfogare, santo Dio!

ZIO SIMONE   Nossignore, si deve star zitta! Che se non
ha saputo esser madre, deve sapere almeno esser moglie; senza sporcarsi la bocca dicendo male del mio
parentado.

ZIA NINFA   Ma siamo giusti, zio Simone, son pretese
le vostre? Le cuoce, poverina, ciò che le avete fatto!

ZIO SIMONE   Non le ho fatto nulla io! Solo il bene le
ho fatto, quando la presi dalla strada e la misi a un
posto che non si meritava.

ZIA NINFA   Benedett'uomo, e vi par questo il modo di
persuaderla a ritornare con voi?

ZIO SIMONE   Ah zia Ninfa, non è vero che avrei mancato di rispetto alla santa memoria di mia moglie, se
non era perché non sapevo a chi lasciare la roba!
Tutta la mia roba, fatta a sudori di sangue, all'acqua e al sole!

ZIA NINFA   Sta bene. Ma che colpa ha questa poverina,
in nome di Dio?

ZIO SIMONE Non avrà colpa, ma nemmeno deve darne a chi ora sta facendo ciò che non ha saputo far lei!

MITA (*a zia Ninfa*) Lo sente?

A zio Simone:

Che volete più da me, allora? Andate da chi ve lo sta sapendo fare, e lasciatemi in pace, ché del vostro nome e delle vostre ricchezze io non so che farmene!

ZIO SIMONE Tu sei mia moglie, t'ho detto; e quella è mia nipote. Ciò ch'è stato è stato, e non se ne parla più. Io ho bisogno d'una donna che m'assista in casa, zia Ninfa.

MITA E io, guardate, piuttosto, di notte-tempo, mi butto per le campagne!

ZIA NINFA Via, lasciatela calmare un po', zio Simone: il colpo che le avete dato è stato troppo forte. Un po' di pazienza! Vedrete che Mita si calmerà e ritornerà a casa.

MITA Avrà voglia d'aspettarmi, non ci torno!

ZIA NINFA È venuto fin qua, vedi? per ricondurti a casa; e t'ha detto che ora tutto è finito e che non andrà più dalla zia Croce. Non è vero?

ZIO SIMONE Non andrò più; ma il figlio, quando nascerà, lo prenderò con me.

MITA Ecco, lo sta a sentire? E la madre allora verrà a pestarmi in casa!

ZIA NINFA Ma no, perché?

MITA Eh, con la scusa che è la madre, potrò chiuderle la porta in faccia? E vuole che sopporti un tal sopruso? O debbo, zia Ninfa, apparecchiar loro anche il letto a casa mia con le mie mani? Ha cuore, dopo questo, di farmi andare ancora con lui?

ZIA NINFA Io, figliuola mia? Che c'entro io? Non debbo mica tenerti con me! Parlo per il tuo bene.

ZIO SIMONE Su, su, andiamo, ch'è notte!

MITA No, no! Se non ve n'andate, corro a buttarmi
giù dal ponte!

ZIA NINFA Date ascolto a me, zio Simone, lasciatela
qua almeno per questa notte. Con le buone, a poco
a poco, si persuaderà e vedrete che domani... domani ritornerà, potete esser certo.

ZIO SIMONE Ma perché vuol rimanere qua stanotte?

ZIA NINFA Perché... perché tra l'altro... deve guardar
la casa a sua zia, salita al paese —

ZIO SIMONE — a fare gli atti contro di me?

ZIA NINFA Eh, via, non badate! Nella prima furia!
Andate, andate a dormire, ch'è tardi. Mita ora si
chiuderà in casa.

A Mita:

Va', va' prima ad accompagnare tuo marito: chiude-
rai la porta di là; poi questa; e buona notte. Buona
notte anche a voi, zio Simone.

*Zio Simone entra per il primo nella casuccia, di-
menticandosi nell'orto il lampioncino acceso. Mita,
entrando dopo di lui, chiude la porticina.*

ZIA NINFA (*attraversando l'orto e la straducola*) Mi
sembra che zia Gesa abbia raccomandato la pecora al
lupo.

*Davanti la porta della sua casa si ferma, scorgen-
do Liolà in agguato, e gli dice piano:*

Via dentro, via dentro, figlio, non facciamo pazzie...

LIOLÀ Sss... aspetti... voglio vedere come andrà a finire... Se ne vada, se ne vada a dormire...

ZIA NINFA Giudizio, figlio, giudizio!

Entra in casa.
*Liolà accosta la porta e subito si caccia dentro l'or-
to, tutto aggruppato, dietro la siepe; sale, cheto e
chinato, fino allo spigolo della casuccia e s'apposta
impalato contro il muro.*

Tutt'a un tratto la porticina si riapre, e Mita, scorgendo Liolà, caccia un grido subito represso e si volta contro il marito per impedirgli il passo.

MITA   V'ho detto no! Andatevene! O chiamo di nuovo zia Ninfa! Andatevene!

ZIO SIMONE   (*dall'interno della casuccia*) Vado, sì, vado, stai tranquilla!

Mita rientra, lasciando semiaperta la porticina. E allora, mentre zio Simone esce dalla porta di strada, Liolà, strisciando lungo il muro, entra dalla porticina e subito la richiude. L'uscita di zio Simone di là e l'entrata di Liolà di qua debbono avvenire contemporaneamente. Ma zio Simone, appena richiusa la porta di strada, si volta e dice:

O oh, il lanternino... ho lasciato il lanternino... Che dici? Ah, nell'orto? – Bene bene... ci giro di qua...

Scende per la straducola, entra per il rastrello della siepe nell'orto, prende da terra il lanternino e lo alza per vedere se è acceso bene:

Al bujo, per la campagna, Dio liberi, c'è pericolo di rompersi le corna...

E risale lentamente la straducola.

Tela

ATTO TERZO

La stessa scena del primo atto. È tempo di vendemmia. Presso la porta del magazzino si vedono ceste e panieri.

Tuzza è seduta sul rustico sedile di pietra e cuce il corredino del bimbo nascituro. Zia Croce, col 'manto' su le spalle e un fazzoletto in capo, viene dal fondo.

ZIA CROCE Tutti arricchiti! Non vuol venire nessuno.

TUZZA Doveva aspettarselo!

ZIA CROCE Non sono mica andata a invitarle a sedere a tavola con me! Con la roccia addosso, più sozze del cantone all'uscita del paese, non han neppure paglia per buttarsi a dormire, e sissignori, le chiamo per guadagnarsi un tozzo di pane, a una fa male il braccio, a un'altra la gamba...

TUZZA Gliel'avevo detto di non andare a pregarle!

ZIA CROCE È l'invidia, che se le mangia vive; e si fingono sdegnate! – Mi tocca intanto salire al paese a far le opere per quattro grappoli d'uva, se non voglio che se li mangino le vespe. – È già in ordine il palmento?

TUZZA In ordine, in ordine.

ZIA CROCE Le ceste son qua pronte, pronto tutto, e mi mancano le braccia! Lui solo, Liolà, ha promesso di venire.

TUZZA Ah, ha voluto proprio incaponirsi a chiamarlo?

ZIA CROCE Apposta, sciocca! Per far vedere che non c'è stato nulla.

TUZZA Ma se ormai lo sanno finanche le pietre!

ZIA CROCE Non per lui, a ogni modo, che l'ha sempre negato, e mi costa! Gliene sono grata. Non l'avrei mai creduto! E quando lo nega lui, lascia pur cantare gli altri finché non scoppiano come le cicale!

TUZZA Va bene. Però io – gliel'avverto – mi chiudo in casa, e non caccio più fuori neanche la punta del naso. Non posso più vedermelo davanti!

ZIA CROCE Ora eh? ora non puoi più vedertelo davanti? – Forca! – Son parecchi giorni intanto che tuo zio non si fa vedere.

TUZZA Ha mandato a dire che non si sente bene.

ZIA CROCE Se c'era lui, a buon conto, mi levava da quest'impiccio della vendemmia. Ma nascerà, nascerà questo figlio! Non mi par l'ora! Quando l'avrà qua – ora che l'ha riconosciuto per suo davanti a

tutti – avrà un bel chiamarselo accanto sua moglie!
La sua casa sarà qua. Dove sono i figli è la casa.

*A questo punto si presenta davanti la tettoja, ila-
re e accaldata, la Moscardina.*

LA MOSCARDINA   È permesso, zia Croce?

ZIA CROCE   Oh, voi Moscardina?

LA MOSCARDINA   A servirla. Le annunzio che vengono,
sa? Tutte!

ZIA CROCE   Ah! E ch'è accaduto? Vi vedo così contenta!

LA MOSCARDINA   Sì, sì, contenta, sono proprio contenta, zia Croce!

ZIA CROCE   Ih, e tutta rossa come un peperone! Siete
venuta di corsa?

LA MOSCARDINA   Corro sempre, io, zia Croce. Sa come
si dice? « Gallina che va e gira, col gozzo pieno si
ritira ». E poi, tempo di vendemmia! Anche loro, le
ragazze, vedrà, tutte festanti!

ZIA CROCE   O come mai? Le ho vedute poco fa con
tanto di muso; nessuna voleva venire: e ora sono
tutte pronte e festanti?

TUZZA   Se fossi in lei, non vorrei più io, ora, e andrei
su al paese a far la ciurma.

ZIA CROCE   No. Mi piace anzi che si levi ogni ruggine
tra vicine. Di tutta questa allegria, piuttosto, vorrei
saper la ragione...

LA MOSCARDINA   Ma forse perché han saputo che verrà Liolà. Questo Liolà, creda, zia Croce, è una cosa...
una cosa... Pare che abbia fatto lega col diavolo!

ZIA CROCE   Ne ha combinata qualche altra delle sue?

LA MOSCARDINA   Non so. Ma il fatto è che mette nel
cuore di tutti l'allegria. Una ne fa e cento ne pensa.
E le ragazze, dove c'è lui, vengono contente! – Canta, ecco, lo sente? Viene cantando con le ragazze e
i tre piccini che gli saltano attorno. – Guardi! Guardi!

*Si sente difatti un coro campestre intonato da Lio-
là. Poi Liolà entra sotto la tettoja con Ciuzza, Luzza, Nela e altri contadini e contadine e i suoi tre
cardelli, e si mette a improvvisare, battendo i piedi in cadenza.*

LIOLÀ

Ullarallà!
Pesta bene, tu qua!
Pesta bene, pesta bene, pesta bene,
che più pesti nel tinello
e più forte il vin ti viene!
Più di quello
dell'altr'anno, Liolà!

CORO

Ullarallà! Ullarallà!

LIOLÀ

Ogni maglio,
senza sbaglio,
se tu pesti bene, compare,
un barile te ne farà!
un barile che a berne un sorsetto
a terra mi getto
col male di mare
perché vagellare
la testa mi fa.
Ullarallà! Ullarallà!

CORO

Ullarallà! Ullarallà!

LIOLÀ Cara zia Croce, rieccoci qua!

La ciurma ride, salta e batte le mani.

ZIA CROCE Ih, che allegria! Davvero festanti siete!
Che miracolo è questo?

LIOLÀ Nessun miracolo, zia Croce. « Chi cerca trova,
e chi séguita vince! »

Le ragazze ridono.

ZIA CROCE   Che vuol dire?

LIOLÀ   Niente. Proverbio.

ZIA CROCE   Ah sì? E senti allora quest'altro: « Suono e canzoni son cose di vento ».

LIOLÀ   (*subito*) « E il tavernajo vuol esser pagato! »

ZIA CROCE   È giusto! Patti chiari. Faremo come l'altr'anno, eh?

LIOLÀ   Ma sì, non si confonda! Ho detto per farle vedere che sapevo il proverbio e anche il séguito.

ZIA CROCE   E allora sbrighiamoci, ragazze, prendete le ceste e fate con garbo; non c'è bisogno che ve lo raccomandi.

LIOLÀ   Ho portato i bambini per piluccare qualche acinetto lasciato.

ZIA CROCE   Purché non s'appendano ai bronconi quando non ci arrivano con le mani!

LIOLÀ   Ah, non c'è pericolo. Educati alla scuola di papà. Il grappolo alto, a cui non s'arriva con la mano, si lascia lì e non gli si dice ch'è acerbo.

Altra risata delle ragazze.

Che c'è da ridere? Non sapete la favola della volpe? – Basta. Qua nel palmento è tutto pronto?

ZIA CROCE   Sì, sì, tutto pronto.

LIOLÀ   (*prendendo le ceste e i panieri e distribuendoli alle ragazze e ai giovani*) E allora, via, su, prendete... ecco qua! prendete... E via cantando: Ullarallà! Ullarallà!

Via dal fondo con la ciurma, cantando.

ZIA CROCE   (*gridando loro dietro*) Cominciate da giù, ragazze, di filare in filare, salendo a poco a poco! E date un occhio ai piccini!

Poi, a Tuzza:

Scendi con loro, rómpiti il collo! Debbo guardarli io sola gl'interessi?

TUZZA No, no, gliel'ho detto, non vado!

ZIA CROCE Chi sa che scempio ne faranno, quell'affamate! – Hai visto, intanto, come guardavano? che sfavillìo d'occhi?

TUZZA Ho visto, ho visto.

ZIA CROCE Per quel pazzo! –

Guardando fuori, in quel momento, scorge zio Simone.

Oh, ecco tuo zio... Ma guarda, butta le gambe come se non fossero sue... Dev'esser malato davvero!

Si presenta sotto la tettoja zio Simone, tutto ingrugnato.

ZIO SIMONE Cara cugina, buon giorno. Buon giorno, Tuzza.

TUZZA Buon giorno.

ZIA CROCE Non state bene, cugino? Che avete?

ZIO SIMONE (*grattandosi il capo sotto la berretta padovana*) Guaj, cugina, guaj.

ZIA CROCE Guaj? Che guaj potete aver voi?

ZIO SIMONE Io no, veramente... anzi, io...

ZIA CROCE Sta male forse vostra moglie?

ZIO SIMONE Eh... dice... dice che... insomma...

ZIA CROCE Insomma, che? Parlate; ho fuori le opere e voglio andare a badarle.

ZIO SIMONE Avete cominciato a vendemmiare?

ZIA CROCE Sì, proprio ora.

ZIO SIMONE Senza dirmene nulla?

ZIA CROCE Non vi fate vedere da due giorni! Mi son pigliate anzi certe bili con tutte queste vipere del vicinato! Non volevano venire, e poi, tutt'a un tratto, chi sa perché, son venute tutte, e ora sono giù con le ceste.

ZIO SIMONE Sempre con la furia, voi, cugina!

ZIA CROCE Io? Furia? Che furia? Le vespe stavano a mangiarsi tutto...

ZIO SIMONE Non dico soltanto per la vendemmia...
dico per altro... dico anche per me... Non so che gusto
rompersi il collo per non dar mai tempo al tempo!

ZIA CROCE Oh infine, si può sapere che avete dentro?
Buttatelo fuori! Vedo che volete pigliarvela con me...

ZIO SIMONE No, non me la piglio con voi, cugina; con
me, me la piglio, con me!

ZIA CROCE Per la furia?

ZIO SIMONE Appunto: per la furia.

ZIA CROCE A proposito di che?

ZIO SIMONE Di che! Vi par poco il peso che porto addosso? È venuto jeri a trovarmi mio compare Cola
Randisi –

ZIA CROCE – ah sì, l'ho visto passare di qua –

ZIO SIMONE – s'è fermato a parlarvi? –

ZIA CROCE – no, ha tirato via di lungo –

TUZZA – tirano via di lungo tutti, ora, passando di
qua!

ZIO SIMONE Tirano via di lungo, figliola mia, perché
la gente, vedendomi qua, si figura... si figura ciò che
per grazia di Dio non è, né è stato mai. La coscienza
nostra è pulita; ma l'apparenza, purtroppo...

ZIA CROCE E va bene, va bene... Lo sappiamo, zio Simone, e dovevamo immaginarcelo prima, che tutti
gl'invidiosi si sarebbero comportati così. A parlarne,
adesso...

A Tuzza:

Anche tu, sciocca!

ZIO SIMONE Eh, ma la faccia, cugina, vengono a bec-
carla a me tutti quelli che, passando di qua, tirano
via di lungo!

ZIA CROCE Mi dite, insomma, che diavolo è venuto a
dirvi questo vostro compare Cola Randisi?

ZIO SIMONE È venuto a dirmi appunto: « Maledetta
la furia! » se volete saperlo. In faccia a mia moglie
ha sostenuto che s'è dato il caso d'aver figli, non

dopo quattr'anni, ma anche dopo quindici dal matrimonio.

ZIA CROCE   Oh! Stavo ancora a sentire che abbia potuto dirvi da farvi stare così sopra pensiero! – E dite un po': che gli avete risposto voi? – Quindici anni? – Sessanta, più quindici, quanto fanno? settantacinque, mi pare. – Cugino, a sessanta no; e a settantacinque sì?

ZIO SIMONE   O chi v'ha detto, a sessanta no?

ZIA CROCE   Eh, il fatto, cugino.

ZIO SIMONE   No, cugina. Il fatto è...

Esita a dire.

ZIA CROCE   Che è?

ZIO SIMONE   Che a sessanta sì.

ZIA CROCE   Che?

ZIO SIMONE   Sì, sì. Proprio così.

ZIA CROCE   Vostra moglie?

ZIO SIMONE   Me l'ha confidato stamattina.

TUZZA   (*mangiandosi le mani*) Ah! Liolà!

ZIA CROCE   Ve l'ha fatta!

TUZZA   Ecco perché erano tutte festanti quelle vipere là! « Chi cerca trova, e chi séguita vince! »

ZIO SIMONE   O oh, non andiamo dicendo ora!

ZIA CROCE   Avreste il coraggio di credere che il figlio è vostro?

TUZZA   Liolà! Liolà! Gliel'ha fatta! Gliel'ha fatta, e me l'ha fatta, assassino!

ZIO SIMONE   Non andiamo dicendo... non andiamo dicendo...

ZIA CROCE   Ve la siete guardata così la moglie, vecchio imbecille?

TUZZA   E glielo dissi! Cento volte glielo dissi, di guardarsi da Liolà!

ZIO SIMONE   O oh, badate, non vi mettete in bocca Liolà, adesso, perché a mia moglie io le comandai di star zitta quando mi buttò in faccia per te la stessa accusa, ch'era vera!

ZIA CROCE E ora, no? non è più vera ora per vostra moglie, vecchio becco?

ZIO SIMONE Oh! cugina, volete per Cristo che faccia uno sproposito?

ZIA CROCE Ma via, levàtevi! Come se non sapessimo –

ZIO SIMONE – che cosa? –

ZIA CROCE – quello che sapete anche voi, e meglio di tutti!

ZIO SIMONE Io so che qua con vostra figlia non ho avuto mai nulla da spartire: ho fatto un'opera di carità, e nient'altro. Ma, con mia moglie, ci sono stato io, ci sono stato io!

ZIA CROCE Sì, quattr'anni senza frutto! Andate, andate a domandare adesso chi c'è stato con vostra moglie!

TUZZA E opera di carità, ha il coraggio di dire!

ZIA CROCE Già! Dopo che s'è vantato davanti a tutti, davanti alla sua stessa moglie che il figlio era suo, per prendersi questa soddisfazione, sapendo bene che non poteva prendersela altrimenti!

TUZZA (*cangiando animo, d'improvviso*) Basta! Basta! Non gridi più, ormai! Basta!

ZIA CROCE Ah no, cara mia! Vuoi che mi rassegni così?

TUZZA E che altro vorrebbe fare? Se si prendeva il mio, pur sapendo di chi era, si figuri se non vorrà riconoscere per suo questo che gli darà ora sua moglie –

ZIO SIMONE – e ch'è mio! mio! mio! – e guaj a chi s'attenta a dir cosa contro mia moglie...

A questo punto appare dal fondo Mita, placidissima.

MITA Oh, e che è qua tutto questo baccano?

TUZZA Vàttene, Mita, vàttene via, non mi cimentare!

MITA   Io, Tuzza, cimentarti? Non sia mai!

TUZZA   (*lanciandosi per afferrarla*) Levatemela davanti! levatemela davanti!

ZIO SIMONE   (*parandola*) O oh! Ci sono io!

ZIA CROCE   Hai la tracotanza di presentarti qua? Via! Via! Fuori!

MITA   (*indicandola al marito*) Ma guardate un po' chi parla di tracotanza!

ZIO SIMONE   No, tu no, tu non t'immischiare, moglie mia! Tórnatene a casa, tu! E lascia che ti difenda io!

MITA   No, aspettate, voglio ricordare a Tuzza un nostro motto antico: « Chi tarda e non manca, non si chiama mancatore ». Ho tardato, sì, è vero, ma non ho mancato. Tu sei andata avanti e io ti son venuta appresso.

TUZZA   Per la mia stessa strada mi sei venuta appresso!

MITA   No, cara! la mia è dritta e giusta; la tua, torta e falsa.

ZIO SIMONE   Non agitarti, non agitarti così, moglie mia! Te lo fanno apposta, non vedi?, per farti arrabbiare! Va', va', da' ascolto a me! A casa! a casa!

ZIA CROCE   Ma guardatelo! Ma sentitelo! « Moglie mia »!

TUZZA   (*a Mita*) Hai ragione! Hai ragione! Hai saputo farla meglio di me! Tu i fatti, e io le parole!

MITA   Parole? Non pare!

ZIA CROCE   Parole, parole, sì! Perché qua non c'è l'inganno che pare! L'inganno è in te, che non pare!

ZIO SIMONE   Oh insomma, la finiamo sì o no?

ZIA CROCE   Lo vedi? Per te c'è tuo marito, ora, che ti ripara, ingannato! Mentre mia figlia, no, suo zio non lo volle ingannare: gli si buttò ai piedi piangendo, come Maria Maddalena!

ZIO SIMONE   Quest'è vero! quest'è vero!

ZIA CROCE   Ecco, vedi? te lo dice lui stesso! lui ch'è

la causa di tutto il male, per potersi vantare davanti a te, davanti a tutto il paese...

MITA   E voi lo permetteste, zia Croce? Oh guarda! A costo dell'onore di vostra figlia? Ma l'inganno, sì, è proprio dove non pare: nelle ricchezze di mio marito, di cui a costo della vostra stessa vergogna volevate appropriarvi!

ZIO SIMONE   Basta! Basta! Basta! Invece di far codeste chiacchiere inutili e accapigliarvi per non concludere nulla, cerchiamo di venire al rimedio, adesso, tutti d'accordo. Siamo in famiglia!

ZIA CROCE   Rimedio? Che rimedio volete che ci sia più, vecchio stolido? Siamo in famiglia, dice! Il rimedio lo troverete voi, voi, a tutto il danno che avete fatto a mia figlia per la soddisfazione che vi voleste prendere!

ZIO SIMONE   Io? Io ho da pensare a mio figlio, adesso. Al vostro ci penserà suo padre. – Liolà non potrà negare in faccia a me che il figlio è suo.

TUZZA   Quale?

ZIO SIMONE   (*stordito dalla domanda che lo avrà colpito come una pugnalata a tradimento*) Che vuol dire, quale?

MITA   (*subito*) Ma il tuo, cara! Quale vuoi che sia? Io ho qua mio marito che non può dubitare di me.

ZIO SIMONE   Oh insomma, la finite tutt'e due, madre e figlia? Ora che mia moglie ha voluto darmi questa consolazione non deve amareggiarsi il sangue con le vostre parole. Lasciate che parli io con Liolà.

Si sente da lontano appressare a poco a poco il coro delle vendemmiatrici.

TUZZA   Ah no, basta! Non s'arrischi a parlare per me! Guaj a lei se lo fa!

ZIO SIMONE   Tu te lo prenderai perché è giusto così. Lui solo potrà darti uno stato, e fare che nasca legittimo il figlio che è suo. Vuol dire che, a persuaderlo, penserò io, facendo ciò che il cuore mi detterà. Eccolo che viene. Lasciate parlare a me.

Liolà ritorna con la ciurma, cantando a coro un canto di vendemmia. Appena sotto la tettoja, vedendo Mita e zio Simone, e le facce stravolte di zia Croce e di Tuzza, la ciurma che reca come in trionfo le ceste colme d'uva, si ferma e tronca il coro. Solo Liolà, come se non volesse accorgersi di nulla, séguita a cantare e a farsi avanti con la sua cesta per andare a vuotarla dalla finestra del palmento.

ZIA CROCE (*facendosi incontro*) Basta, basta! Votate le ceste, ragazze, e poi buttatele lì. Non ho più testa da badare a voi in questo momento.

LIOLÀ E perché? Ch'è avvenuto?

ZIA CROCE (*alle donne*) Andate, andate, vi dico! Poi, se mai, vi richiamerò.

ZIO SIMONE Tu vieni qua, Liolà!

In fondo alla tettoja la Moscardina, Ciuzza, Luzza, Nela e le altre donne circondano Mita e le fanno un mondo di feste per la consolazione che ha dato a tutte. Tuzza le guata e si macera dentro; pian piano si tira indietro fino alla porta di casa e vi si caccia dentro.

LIOLÀ Vuole me? Eccomi qua.

ZIO SIMONE Cugina, venite qua anche voi.

LIOLÀ (*con aria di comando*) Zia Croce, sotto!

ZIO SIMONE Oggi è giorno segnato e dev'esser festa per tutti.

LIOLÀ Benissimo! E cantare. Non come dice zia Croce, che suono e canzoni sono cose di vento. Se sono di vento, son cose mie; perché io e il vento, zio Simone, siamo fratelli.

ZIO SIMONE Lo sappiamo, lo sappiamo tutti che sei

sventato. Ora è tempo però di metter giudizio, caro
mio!

LIOLÀ Giudizio? Muojo.

ZIO SIMONE Stammi a sentire, Liolà. Prima di tutto,
debbo darti parte e consolazione che Dio finalmente
ha voluto farmi la grazia –

ZIA CROCE – senti, senti bene questa partecipazione,
tu che non ne sai nulla! –

ZIO SIMONE – insomma, v'ho detto di lasciar parlare
a me –

LIOLÀ – lo lasci parlare! –

ZIA CROCE Eh sì, parlate, parlate... Ha voluto farvela
Dio veramente, questa grazia!

ZIO SIMONE Sissignora, la grazia che, dopo quattr'anni, mia moglie alla fine s'è decisa...

LIOLÀ Ah sì? davvero? sua moglie? le faccio a tam-
buro una poesia!

ZIO SIMONE Aspetta! Aspetta! Che poesia!

LIOLÀ Mi permetta che vada a farle il *prosit* almeno!

ZIO SIMONE Aspetta, ti dico, per l'anima di...

LIOLÀ Oh, non s'arrabbi! Deve sentirsi ai sette cieli,
e s'arrabbia? – Via, l'ho qua sulla punta della lingua!

ZIO SIMONE Lascia stare, t'ho detto, la poesia, ché
un'altra cosa tu hai da fare qua, adesso.

LIOLÀ Io? Non so fare altro, io, zio Simone!

ZIA CROCE Già... proprio... non sa far altro lui, poverino...

*Gli s'accosta, gli afferra un braccio e gli dice sotto
sotto, tra i denti:*

Due volte m'hai rovinato la figlia, assassino!

LIOLÀ Io, la figlia? Osa dir questo, lei a me, davanti
a zio Simone? Gliel'ha rovinata lui, due volte, la figlia, non io!

ZIA CROCE No, no, tu! tu!

LIOLÀ Lui! Lui! zio Simone! Non scambiamo le carte
in mano, zia Croce! Io venni qua a domandare one-

stamente la mano di sua figlia, non potendo mai supporre...

ZIA CROCE   Ah, no? Dopo quello che avevi fatto con lei?

LIOLÀ   Io? zio Simone!

ZIA CROCE   Zio Simone, già! Proprio zio Simone!

LIOLÀ   Oh, parli lei, zio Simone! Vorreste negare, adesso, e gettare il figlio addosso a me? – Non facciamo scherzi! – Io ho tanto ringraziato Dio che m'ha guardato d'esser preso nella rete, in cui, senza sospetto di nulla, ero venuto a cacciarmi. – Alla larga, zio Simone! Che razza di vecchio è lei, si può sapere? Non le bastava un figlio con sua nipote? Uno, anche con sua moglie? E che cos'ha in corpo? Le fiamme dell'inferno o il fuoco divino? il diavolo? il Mongibello? Dio ne scampi e liberi ogni figlia di mamma!

ZIA CROCE   Eh già, proprio da lui, proprio da lui devono guardarsi le figlie di mamma!

ZIO SIMONE   Liolà, non farmi parlare! Non farmi fare, Liolà, ciò che non debbo e non voglio fare! Vedi che tra me e mia nipote, non c'è stato, né poteva esserci, peccato! C'è stato solo che mi si buttò ai piedi pentita di ciò che aveva fatto con te, confessandomi lo stato in cui si trovava. Mia moglie adesso sa tutto. E io sono pronto a giurarti davanti a Gesù sacramentato e davanti a tutti, che mi son vantato a torto del figlio che, in coscienza, è tuo!

LIOLÀ   E intende, con questo, che io ora dovrei prendermi Tuzza?

ZIO SIMONE   Te la puoi e te la devi prendere, Liolà, perché, com'è vero Dio e la Madonna Santissima, non è stata d'altri che tua!

LIOLÀ   Eh – eh – eh – come corre lei, caro zio Simone! – Volevo, sì, prima. Per coscienza, non per altro. Sapevo che, sposando lei, tutte le canzoni mi sarebbero morte nel cuore. – Tuzza allora non mi volle. – La botte piena e la moglie ubriaca? Zio Si-

mone, zia Croce, le due cose insieme non si possono
avere! – Ora che il giuoco v'è fallito? – No no, ringrazio, signori! ringrazio.

Si piglia per mano due dei ragazzi.

Andiamo, andiamo via, ragazzi!

S'avvia, poi torna indietro.

Posso farmi di coscienza: questo sì. Gira e volta, vedo che qua c'è un figlio di più. Bene, non ho difficoltà. Crescerà il da fare a mia madre. Il figlio, lo
dica pure a Tuzza, zia Croce, se me lo vuol dare, me
lo piglio!

TUZZA (*che se n'è stata tutta aggruppata in disparte,
schizzando fuoco dagli occhi, a quest'ultime parole si
lancia contro Liolà con un coltello in mano*) Ah sì,
il figlio? Pìgliati questa, invece!

*Tutti gridano, levando le mani e accorrendo a trat-
tenerla. Mita si sente mancare ed è sorretta e subito confortata da zio Simone.*

LIOLÀ (*pronto ha ghermito il braccio di Tuzza, e con
l'altra mano le batte sopra le dita fino a farle cadere
il coltello a terra, ride e rassicura tutti, che non è
stato nulla*) Nulla, nulla... non è stato nulla...

*Appena a Tuzza cade il coltello, subito vi mette il
piede sopra, e dice di nuovo con una gran risata:*

Nulla!

*Si china a baciare la testa d'uno dei tre bambini;
poi, guardandosi nel petto un filo di sangue:*

Uno sgraffietto, di striscio...

*Vi passa sopra il dito e poi va a passarlo sulle lab-
bra di Tuzza.*

Eccoti qua, assaggia! – Dolce, eh? –

Alle donne che la trattengono:

Lasciatela!

La guarda; poi guarda i tre bambini, pone le mani sulle loro testoline, e dice, rivolto a Tuzza:

Non piangere! Non ti rammaricare!
Quando ti nascerà, dammelo pure.
Tre, e uno quattro! Gl'insegno a cantare.

Tela

COSÌ È (SE VI PARE)

parabola in tre atti

PERSONAGGI

Lamberto Laudisi
La Signora Frola
Il Signor Ponza, *suo genero*
La Signora Ponza
Il Consigliere Agazzi
La Signora Amalia, *sua moglie e sorella di Lamberto Laudisi*
Dina, *loro figlia*
La Signora Sirelli
Il Signor Sirelli
Il Signor Prefetto
Il Commissario Centuri
La Signora Cini
La Signora Nenni
Un cameriere di casa Agazzi
Altri signori e signore

In un capoluogo di provincia
Oggi

ATTO PRIMO

Salotto in casa del Consigliere Agazzi. Uscio comune in fondo; usci laterali a destra e a sinistra.

La SIGNORA AMALIA, DINA, LAUDISI.

Al levarsi della tela Lamberto Laudisi passeggerà irritato per il salotto. Sui quarant'anni, svelto, elegante senza ricercatezza, indosserà una giacca viola con risvolti e alamari neri.

LAUDISI   Ah, dunque è andato a ricorrere al Prefetto?

AMALIA   (*sui quarantacinque, capelli grigi; contegno d'importanza ostentata, per il posto che il marito occupa in società. Lascerà tuttavia intendere che, se stesse in lei, rappresenterebbe la sua parte e si comporterebbe in tante occasioni ben altrimenti*) Oh Dio, Lamberto, per un suo subalterno!

LAUDISI   Subalterno, alla Prefettura; non a casa!

DINA   (*diciannove anni; una cert'aria di capir tutto meglio della mamma e anche del babbo; ma attenuata, quest'aria, da una vivace grazia giovanile*) Ma è venuto a allogarci la suocera qua accanto, sullo stesso pianerottolo!

LAUDISI   E non era padrone? C'era un quartierino sfitto, e l'ha affittato per la suocera. O ha forse l'obbligo una suocera di venire a ossequiare in casa

caricato, facendola lunga, apposta

la moglie e la figliuola d'un superiore di suo genero?

AMALIA   Chi dice obbligo? Siamo andate noi, mi pa-

re, io e Dina, per le prime da questa signora, e n o n
s i a m o s t a t e r i c e v u t e.

LAUDISI E che è andato a fare adesso tuo marito dal
Prefetto? A imporre d'autorità un atto di cortesia?

AMALIA Un atto di giusta riparazione, se mai! Perché non si lasciano due signore, lì come due pioli,
davanti alla porta.

LAUDISI Soperchierie, soperchierie! Non sarà dunque permesso alla gente di starsene per casa sua?

AMALIA Eh, se tu non vuoi tener conto che cortesi
volevamo esser noi, per le prime, verso una forestiera!

DINA Via, zietto, calmati, via! Saremo, se vuoi, sin-
cere: ecco, ammettiamo d'essere state così cortesi per
curiosità. Ma scusa, non ti sembra naturale?

LAUDISI Ah, naturale, sì: perché non avete nulla da
fare.

DINA Ma no, guarda, zietto. Tu te ne stai costì, senza
badare a ciò che fanno gli altri attorno a te. – Bene.
– Vengo io. E qua, proprio su questo tavolinetto che
ti sta davanti, ti colloco, im-per-tur-ba-bile – anzi
no, con la faccia di quel signore lì, patibolare – che
so, poniamo, un pajo di scarpe della cuoca.

LAUDISI (*scattando*) Come c'entrano le scarpe della
cuoca?

DINA (*subito*) Ecco, vedi? Te ne meravigli! Ti sembra
una stramberia, e me ne domandi subito il perché.

LAUDISI (*restando, con un sorriso freddo, ma presto
ripigliandosi*) Carina! – Hai ingegno tu; ma parli
con me, sai? – Tu vieni a posarmi qui sul tavolino
le scarpe della cuoca appunto per stuzzicar la mia
curiosità; e certo – poiché l'hai fatto apposta – non
puoi rimproverarmi se ti domando: – « Ma perché,
cara, le scarpe della cuoca qui sopra? » – Dovresti
ora dimostrarmi che questo signor Ponza – villano e
mascalzone, come lo chiama tuo padre – sia venuto

ad allogarci, ugualmente apposta, qua accanto, la
suocera!

DINA   E sia! Non l'avrà fatto apposta. Ma non puoi
negare che questo signore vive in un modo talmente
strambo da suscitar la curiosità naturalissima di tutto
il paese. – Scusami. – Arriva. – Prende a pigione un
quartierino all'ultimo piano di quel casone tetro, là,
all'uscita del paese, su gli orti... – L'hai veduto? Dico,
di dentro?

LAUDISI   Sei forse andata a vederlo, tu?

DINA   Sì, zietto! Con la mamma. E mica noi sole, sai?
Tutti sono andati a vederlo. – C'è un cortile –
così bujo! – (pare un pozzo) – con una ringhie-
rina di ferro in alto, in alto, lungo il ballatojo del-
l'ultimo piano; da cui pendono coi cordini tanti panieri.

LAUDISI   E con questo?

DINA   (*con meraviglia e indignazione*) Ha relegato la
moglie lassù!

AMALIA   E la suocera qua, accanto a noi!

LAUDISI   In un bel quartierino, la suocera, in mezzo
alla città!

AMALIA   Grazie! E la costringe ad abitar divisa dalla
figlia?

LAUDISI   Chi ve l'ha detto? O non può esser lei, invece, la madre, per avere maggior libertà?

DINA   No, no! che, zietto! Si sa che è lui!

AMALIA   Ma scusa, si capisce che una figliuola, sposando, lasci la casa della madre e vada a convivere
col marito; anche in un'altra città. Ma che una povera madre, non sapendo resistere a viver lontana
dalla figliuola, la segua, e nella città dove anche lei
è forestiera sia costretta a viverne divisa, via, am-
metterai che questo no, non si capisce facilmente!

LAUDISI   Già! Che fantasie da tartarughe! Ci vuol
tanto a immaginare che, o per colpa di lei, o per
colpa di lui – o pur senza colpa di nessuno – ci

sia tale incompatibilità di carattere, per cui, anche in queste condizioni...

DINA (*interrompendo, meravigliata*) Come, zietto? Tra madre e figlia?

LAUDISI Perché tra madre e figlia?

AMALIA Ma perché tra loro due, no! Sono sempre insieme, lui e lei!

DINA Suocera e genero! È ben questo lo stupore di tutti!

AMALIA Viene qua ogni sera, lui, a tener compagnia alla suocera.

DINA Anche di giorno, viene: una o due volte.

LAUDISI Sospettate forse che facciano all'amore, suocera e genero?

DINA No, che dici! Una povera vecchietta.

AMALIA Ma non le porta mai la figlia! non porta mai con sé, mai, mai, la moglie a vedere la madre!

LAUDISI Sarà malata quella poverina... non potrà uscire di casa...

DINA Ma che! Ci va lei, la madre...

AMALIA Ci va... Sì! Per vederla da lontano! Si sa di causa e scienza che a questa povera madre è proibito salire in casa della figliuola!

DINA Può parlarle solo dal cortile!

AMALIA Dal cortile, capisci!

DINA Alla figliuola che s'affaccia dal ballatojo lassù, come dal cielo! Questa poveretta entra nel cortile; tira il cordino del paniere; suona il campanello lassù; la figliuola s'affaccia, e lei le parla di giù, da quel pozzo, storcendosi il collo così! figùrati! E neanche la vede, abbagliata dalla luce che cola dall'alto.

Si sentirà picchiare all'uscio e si presenterà il cameriere.

CAMERIERE Permesso?

AMALIA Chi è?

CAMERIERE I signori Sirelli con un'altra signora.
AMALIA Ah, fa' passare.

Il cameriere s'inchinerà e via.

SCENA SECONDA
I CONIUGI SIRELLI, *la* SIGNORA CINI, DETTI.

AMALIA *(alla signora Sirelli)* Cara signora!
SIGNORA SIRELLI *(grassoccia, rubizza, ancora giovine, parata con sovraccarica eleganza provinciale; ardente d'irrequieta curiosità; aspra contro il marito)* Mi sono permessa di portarle la mia buona amica, signora Cini, che aveva tanto desiderio di conoscerla.
AMALIA Piacere, signora. – S'accòmodino.

Farà le presentazioni:

Questa è la mia figliuola Dina. – Mio fratello Lamberto Laudisi.
SIRELLI *(calvo, sui quaranta, grasso, impomatato, con pretese d'eleganza, scarpe lucide sgrigliolanti; salutando)* Signora, signorina.

Stringerà la mano a Laudisi.

SIGNORA SIRELLI Ah, signora mia, noi veniamo qua come alla fonte. Siamo due povere assetate di notizie.
AMALIA E notizie di che, signore mie?
SIGNORA SIRELLI Ma di questo benedetto nuovo segretario della Prefettura. Non si parla d'altro in paese!
SIGNORA CINI *(vecchia goffa, piena di cupida malizia dissimulata con arie d'ingenuità)* Una curiosità ne abbiamo tutte, una curiosità che... che mai più!
AMALIA Ma ne sappiamo quanto gli altri, noi, creda, signora!
SIRELLI *(alla moglie, come se avesse riportato una*

vittoria) Te l'ho detto? Quanto me, e forse meno di me!

>   *Poi volgendosi alle altre:*

La ragione per cui questa povera madre non può andare a vedere in casa la figliuola, per esempio, la sanno loro, qual è veramente?

AMALIA   Ne stavo parlando con mio fratello.

LAUDISI   Mi sembrate impazziti tutti quanti!

DINA   (*subito, perché non si dia retta allo zio*) Perché il genero, dicono, glielo proibisce.

SIGNORA CINI   (*con voce a lamento*) Non basta, signorina!

SIGNORA SIRELLI   (*incalzando*) Non basta! Fa di più!

SIRELLI   (*premettendo un gesto delle mani, per raccogliere l'attenzione*) Notizia fresca appurata or ora:

>   *quasi sillabando*

La tiene chiusa a chiave!

AMALIA   La suocera?

SIRELLI   No, signora: la moglie!

SIGNORA SIRELLI   La moglie! la moglie!

SIGNORA CINI   (*voce a lamento*) A chiave!

DINA   Capisci, zietto? Tu che vuoi scusare...

SIRELLI   (*stupito*) Come? Tu vorresti scusare quel mostro?

LAUDISI   Ma non lo voglio scusare nient'affatto! Dico che la vostra curiosità (chiedo perdono alle signore) è insoffribile, non foss'altro, perché inutile.

SIRELLI   Inutile?

LAUDISI   Inutile! – Inutile, signore mie!

SIGNORA CINI   Che si voglia venire a sapere?

LAUDISI   Che cosa, scusi? Che possiamo noi realmente sapere degli altri? chi sono... come sono... ciò che fanno... perché lo fanno...

SIGNORA SIRELLI   Chiedendo notizie, informazioni...

LAUDISI   Ma se c'è una che, per questa via, dovrebbe

stare a giorno d'ogni cosa, quest'una dovrebbe proprio esser lei, signora, con un marito come il suo, così informato sempre di tutto!

SIRELLI (*cercando d'interrompere*) Scusa, scusa...

SIGNORA SIRELLI Ah no, caro, senti: questa è la verità!

Rivolgendosi alla signora Amalia:

La verità, signora mia: con mio marito che dice sempre di saper tutto, io non riesco a sapere mai niente.

SIRELLI Sfido! Non si contenta mai di quello che le dico! Dubita sempre che una cosa non sia come gliel'ho detta. Sostiene anzi che, come gliel'ho detta io, non può essere. Arriva finanche a supporre di proposito il contrario!

SIGNORA SIRELLI Ma abbi pazienza, se vieni a riferirmi certe cose...

LAUDISI (*riderà forte*) Ah ah ah... Permette, signora? Rispondo io a suo marito. Come vuoi, caro, che tua moglie si contenti delle cose che tu le dici, se tu – naturalmente – gliele dici come sono per te?

SIGNORA SIRELLI Come assolutamente non possono essere!

LAUDISI Ah, no, signora, sopporti che le dica che qui ha torto lei! Per suo marito, stia sicura, le cose sono come lui gliele dice.

SIRELLI Ma come sono in realtà! come sono in realtà!

SIGNORA SIRELLI Nient'affatto! Tu t'inganni continuamente!

SIRELLI T'inganni tu, ti prego di credere! Non m'inganno io!

LAUDISI Ma no, signori miei! Non v'ingannate nessuno dei due. Permettete? Ve ne faccio la prova.

S'alzerà e si presenterà in mezzo al salotto.

Tutt'e due, qua, vedete me. – Mi vedete, è vero?

SIRELLI Eh sfido!

LAUDISI No no; non lo dire così presto, caro. Vieni
qua, vieni qua.

SIRELLI (*lo guarderà sorridendo, perplesso, un po'
sconcertato, come se non volesse prestarsi a uno
scherzo che non capisce*) Perché?

SIGNORA SIRELLI (*spingendolo con la voce irritata*) E
vai là.

LAUDISI (*a Sirelli che gli si sarà appressato titubante*)
Tu mi vedi? Guardami meglio. Toccami.

SIGNORA SIRELLI (*al marito che esita c.s. a toccarlo*)
E toccalo!

LAUDISI (*a Sirelli che avrà alzato una mano a toccarlo
appena sulla spalla*) Così, bravo. Tu sei sicuro di
toccarmi come mi vedi, è vero?

SIRELLI Direi.

LAUDISI Non puoi dubitare di te, sfido! – Torna al
tuo posto.

SIGNORA SIRELLI (*al marito rimasto lì balordo davanti
al Laudisi*) È inutile che stia lì a sbattere gli occhi;
torna a sedere adesso!

LAUDISI (*alla signora Sirelli, poiché il marito sarà tornato stonato al suo posto*) Ora, scusi, venga qua lei,
signora.

Subito, prevenendo:

No no, ecco, vengo io da lei.

Le si farà davanti, si piegherà su un ginocchio.

Mi vede, è vero? Alzi una manina; mi tocchi.

*E come la signora Sirelli, seduta, gli poserà una ma-
no sulla spalla, egli, chinandosi, per baciargliela:*

Cara manina!

SIRELLI Ohé ohé.

LAUDISI Non gli dia retta! – È sicura anche lei di
toccarmi come mi vede? Non può dubitare di lei. –
Ma per carità, non dica a suo marito, né a mia sorella, né a mia nipote, né alla signora qua –

SIGNORA CINI   (*suggerendo*) – Cini –

LAUDISI   (Cini) – come mi vede, perché tutt'e quattro altrimenti le diranno che lei s'inganna,   mentre lei non s'inganna affatto! Perché io sono realmente come mi vede lei. – Ma ciò non toglie, cara signora mia, che io non sia anche realmente come mi vede suo marito, mia sorella, mia nipote e la signora qua –

SIGNORA CINI   (*suggerendo*) – Cini –

LAUDISI   (Cini) – che anche loro non s'ingannano affatto.

SIGNORA SIRELLI   E come, dunque, lei cambia dall'uno all'altro?

LAUDISI   Ma sicuro che cambio, signora mia! E lei no, forse? Non cambia?

SIGNORA SIRELLI   (*precipitosamente*) Ah no no no no. Le assicuro che per me io non cambio affatto!

LAUDISI   E neanch'io p e r m e, creda! E dico che voi tutti v'ingannate se non mi vedete come mi vedo io! Ma ciò non toglie che non sia una bella presunzione tanto la mia, quanto la sua, cara signora.

SIRELLI   Ma tutto codesto arzigogolo, scusa, per concludere che cosa?

LAUDISI   Ti pare che non concluda? Oh bella! Vi vedo così affannati a cercar di sapere chi sono gli altri e le cose come sono, quasi che gli altri e le cose per se stessi fossero così o così.

SIGNORA SIRELLI   Ma secondo lei allora non si potrà mai sapere la verità?

SIGNORA CINI   Se non dobbiamo più credere neppure a ciò che si vede e si tocca!

LAUDISI   Ma sì, ci creda, signora! Però le dico: rispetti ciò che vedono e toccano gli altri, anche se sia il contrario di ciò che vede e tocca lei.

SIGNORA SIRELLI   Oh, senta! io le volto le spalle e non parlo più con lei! Non voglio impazzire!

LAUDISI   No, no: basta! Seguitate a parlare della signora Frola e del signor Ponza suo genero: non v'interrompo più.

AMALIA   Ah, Dio sia ringraziato! E faresti meglio, caro Lamberto, se te n'andassi di là!

DINA   Di là; di là, zietto; sì, vai, vai!

LAUDISI   No, perché? Mi diverto a sentirvi parlare. Me ne starò zitto, non dubitate. Tutt'al più, farò tra me e me qualche risata; e se me ne scapperà qualcuna forte, mi scuserete.

SIGNORA SIRELLI   E dire che noi eravamo venute per sapere... – Ma scusi: suo marito, signora, non è un superiore di questo signor Ponza?

AMALIA   Altro è l'ufficio, altro la casa, signora.

SIGNORA SIRELLI   Capisco, già! – Ma loro non han neppure tentato di vedere la suocera qua accanto?

DINA   Altro che! Due volte, signora!

SIGNORA CINI   (_con un balzo; e poi, tutta cupida e intenta_) Ah dunque! Dunque loro le hanno parlato?

AMALIA   Non siamo state ricevute, signora mia!

SIRELLI, SIGNORA SIRELLI, SIGNORA CINI   Oh! oh! – Come – Come mai!

DINA   Anche questa mattina...

AMALIA   La prima volta restammo più d'un quarto d'ora dietro la porta. Nessuno venne ad aprirci, e non si poté neppure lasciare un biglietto da visita. – Abbiamo ritentato oggi...

DINA   (_con un gesto delle mani che esprime spavento_) Venne ad aprirci lui!

SIGNORA SIRELLI   Che faccia! Già. Ce l'ha proprio di cattivo! Ha sconcertato tutto il paese con quella faccia! E poi, così, sempre vestito di nero... Sono tutti e tre vestiti di nero, anche la signora, è vero? la figlia?

SIRELLI   (_con fastidio_) Ma se la figlia non l'ha mai veduta nessuno! Te l'ho detto mille volte! Sarà vestita di nero anche lei... – Sono d'un paesello della Marsica –

AMALIA – sì; distrutto, pare, totalmente –

SIRELLI – di pianta, raso al suolo, dall'ultimo terremoto.

DINA Hanno perduto tutti i parenti, si dice.

SIGNORA CINI (*con ansia di riattaccare il discorso interrotto*) Bene; dunque dunque... – ha aperto lui?

AMALIA Appena me lo sono veduto davanti, con quella faccia, non mi son più trovata in gola la voce per dirgli che venivamo per una visita alla suocera. Niente, sa? neanche un ringraziamento.

DINA No, per questo, fece un inchino.

AMALIA Ma appena... così, col capo.

DINA Gli occhi, piuttosto, devi dire! Quelli sono gli occhi d'una belva, non d'un uomo.

SIGNORA CINI (*c.s.*) E allora? Che ha detto allora?

DINA Tutto imbarazzato –

AMALIA – tutto arruffato, ci ha detto che la suocera era indisposta... che ci ringraziava dell'attenzione... e rimase lì, su la soglia, in attesa che ci ritirassimo.

DINA Che mortificazione!

SIRELLI Sgarbo da villano! Ah, ma può esser sicura che è lui, sa? Forse terrà sotto chiave anche la suocera!

SIGNORA SIRELLI Ci vuol coraggio! Con una signora, moglie d'un suo superiore!

AMALIA Ah, ma mio marito questa volta se n'è proprio indignato: l'ha presa come una grave mancanza di riguardo ed è andato a rinzelarsene fortemente col Prefetto, pretendendo una riparazione.

DINA Oh, giusto, eccolo qua, il babbo!

SCENA TERZA
Il CONSIGLIERE AGAZZI, DETTI.

AGAZZI (*cinquant'anni, rosso di pelo, arruffato, con barba, occhiali d'oro, autoritario e dispettoso*) Oh, caro Sirelli.

*S'appresserà al canapè, s'inchinerà e stringerà la
mano alla signora Sirelli.*

Signora.

AMALIA *(presentandolo alla signora Cini)* Mio marito
– la signora Cini.

AGAZZI *(s'inchinerà, stringerà la mano)* Lietissimo.

*Poi, rivolgendosi quasi con solennità alla moglie e
alla figlia:*

Vi avverto che sarà qui a momenti la signora Frola.

SIGNORA SIRELLI *(battendo le mani, esultante)* Ah,
verrà? verrà qui?

AGAZZI   Ma per forza! Potevo tollerare che fosse fatto uno sgarbo così patente alla mia casa, alle mie
donne?

SIRELLI   Ma sì. Dicevamo appunto questo!

SIGNORA SIRELLI   E sarebbe stato bene cogliere quest'occasione –

AGAZZI *(prevenendo)* – per far notare al Prefetto tutto ciò che si dice in paese sul riguardo di questo signore? Eh, non dubiti: l'ho fatto!

SIRELLI   Ah, bene! bene!

SIGNORA CINI   Cose inesplicabili! veramente inconce-
pibili!

AMALIA   Selvagge addirittura! Ma sai che le tiene chiu-
se a chiave tutt'e due!

DINA   No, mamma: per la suocera ancora non si sa!

SIGNORA SIRELLI   Ma la moglie, è certo!

SIRELLI   E il Prefetto?

AGAZZI   Sì... Eh... ne è rimasto molto... molto impres-
sionato...

SIRELLI   Ah, meno male!

AGAZZI   Era arrivata anche a lui qualche voce, e... e
vede anche lui adesso l'opportunità di chiarire questo mistero, di venire a sapere la verità.

LAUDISI *(riderà forte)* Ah! ah! ah! ah!

AMALIA   Non ci manca proprio, adesso, che la tua risata.

AGAZZI   E perché ride?

SIGNORA SIRELLI   Ma perché dice che non è possibile scoprire la verità!

SCENA QUARTA
CAMERIERE, DETTI, *poi la* SIGNORA FROLA.

CAMERIERE   (*presentandosi sulla soglia dell'uscio e annunziando*) Permesso? La signora Frola.

SIRELLI   Oh! Eccola qua.

AGAZZI   Vedremo adesso se non sarà possibile, caro Lamberto!

SIGNORA SIRELLI   Benissimo! Ah, sono proprio contenta!

AMALIA   (*alzandosi*) La facciamo passare?

AGAZZI   No, ti prego, siedi. Aspetta che entri. Seduti, seduti. Bisogna star seduti.

Al cameriere:

Fa' passare.

Il cameriere, via. Entrerà poco dopo la signora Frola e tutti si alzeranno. La signora Frola è una vecchina linda, modesta, affabilissima, con una grande tristezza negli occhi, ma attenuata da un costante dolce sorriso sulle labbra. La signora Amalia si farà avanti e le porgerà la mano.

AMALIA   Favorisca, signora.

Tenendola per mano, farà le presentazioni:

La signora Sirelli, mia buona amica. – La signora Cini. – Mio marito. – Il signor Sirelli. – La mia figliuola Dina. – Mio fratello Lamberto Laudisi. – S'accomodi, signora.

SIGNORA FROLA   Sono dolente e chiedo scusa d'aver mancato fino ad oggi al mio dovere. – Lei, signora, con tanta degnazione mi ha onorata d'una visita, quando toccava a me di venire per la prima.

AMALIA   Tra vicine, signora, non si bada a chi tocchi prima. Tanto più che lei, stando qui, sola, forestiera, chi sa, poteva aver bisogno...

SIGNORA FROLA   Grazie, grazie... troppo buona...

SIGNORA SIRELLI   La signora è sola in paese?

SIGNORA FROLA   No, ho una figlia maritata: venuta anche lei, che è poco, qui.

SIRELLI   Il genero della signora è il nuovo segretario della Prefettura: il signor Ponza, è vero?

SIGNORA FROLA   Appunto, sì. E il signor Consigliere vorrà scusarmi, spero, e scusare anche mio genero.

AGAZZI   Per dire la verità, signora, io mi sono avuto un po' a male –

SIGNORA FROLA   (*interrompendolo*) – ha ragione, ha ragione! Ma lei deve scusarlo! Siamo rimasti, creda, così scombussolati dalla nostra disgrazia.

AMALIA   Ah, già! loro ebbero quel gran disastro!

SIGNORA SIRELLI   Perdettero parenti?

SIGNORA FROLA   Oh, tutti... – Tutti, signora mia. Del nostro paesello non c'è quasi più traccia: è rimasto lì tra le campagne, come un mucchio di rovine; abbandonate.

SIRELLI   Già! s'è saputo!

SIGNORA FROLA   Io non avevo più che una sorella, con una figliuola anche lei, ma nubile. Per il mio povero genero la sciagura fu assai più grave. La madre, due fratelli, una sorella, e poi cognato, cognate, due nipotini.

SIRELLI   Un'ecatombe!

SIGNORA FROLA   E sono sciagure per tutta la vita! Si resta come storditi!

AMALIA   Oh certo!

SIGNORA SIRELLI   Da un momento all'altro! C'è da impazzire!

SIGNORA FROLA   Non si pensa più a nulla. Si manca senza volerlo, signor Consigliere.

AGAZZI Oh basta, prego, signora.

AMALIA Anche in considerazione di questa sciagura, io e la mia figliuola eravamo venute per le prime.

SIGNORA SIRELLI (*friggendo*) Già! sapendo così sola la signora! — Benché mi perdoni, signora, se oso domandarle come va che, avendo qua la figliuola, dopo una sciagura come questa, che...

> *peritosa, dopo aver filato così bene*

mi sembra... dovrebbe far nascere nei superstiti il bisogno di star tutti uniti —

SIGNORA FROLA (*seguitando lei, per toglierla d'imbarazzo*) — io me ne stia così sola, è vero?

SIRELLI Già, ecco, pare strano, per essere sinceri.

SIGNORA FROLA (*dolente*) Eh, lo capisco.

> *Poi, come per tentare una via di scampo:*

Ma... sa, son di parere che, quando un figliuolo o una figliuola sposano, si debbano lasciare a se stessi, a farsi la loro vita, ecco.

LAUDISI Benissimo! Giustissimo! Che dev'essere per forza un'altra, nelle nuove relazioni con la moglie o col marito.

SIGNORA SIRELLI Ma non fino al punto, scusi Laudisi, da escludere dalla propria vita quella della madre!

LAUDISI Chi ha detto escludere? Si parla adesso — se ho inteso bene — d'una madre che comprende che la figliuola non può e non deve rimanere legata a lei come prima, avendo ora un'altra vita per sé.

SIGNORA FROLA (*con viva riconoscenza*) Ecco, è proprio così, signore! Grazie! Ho voluto proprio dir questo!

SIGNORA CINI Ma la sua figliuola, m'immagino, verrà, verrà qui spesso a tenerle compagnia.

SIGNORA FROLA (*tra le spine*) Già... sì... ci vediamo, certo...

SIRELLI (*subito*) Non esce mai di casa, però, la sua figliuola! Almeno, nessuno l'ha mai veduta!

SIGNORA CINI Avrà forse da badare ai figliuoli!

SIGNORA FROLA (*subito*) No, nessun figliuolo, ancora. E forse, ormai, non ne avrà più. È sposata già da sette anni. Ha da fare, in casa, certo. – Ma non è per questo.

Sorriderà, dolente; e soggiungerà per tentare un'altra via di scampo:

Noi sa – noi donne – siamo abituate, nei piccoli paesi, a star sempre in casa.

AGAZZI Anche quando ci sia la mamma da andare a vedere? la mamma che non sta più con noi?

AMALIA Ma la signora andrà lei a vedere la figliuola!

SIGNORA FROLA (*subito*) Ah, certo! Come no? Una o due volte al giorno ci vado!

SIRELLI E sale, una, due volte al giorno, tutte quelle scale, fino all'ultimo piano di quel casone?

SIGNORA FROLA (*smorendo, tentando ancora di volgere in riso il supplizio di quest'interrogatorio*) Eh, no; non salgo, veramente. Ha ragione, signore: sarebbero troppe per me. Non salgo. La mia figliuola s'affaccia dalla parte del cortile e... e ci vediamo, ci parliamo.

SIGNORA SIRELLI Così soltanto? Oh! Non la vede mai da vicino?

DINA (*cingendo col braccio il collo della madre*) Io, figlia, non pretenderei che mia madre salisse per me novanta, cento scalini; ma non potrei contentarmi di vederla, di parlarle da lontano, senza abbracciarla, senza sentirmela vicina.

SIGNORA FROLA (*vivamente turbata, imbarazzata*) Ha ragione! Eh sì, ecco, bisogna che io dica. – Non vorrei che loro pensassero della mia figliuola quello che non è; che abbia per me poco affetto, poca considerazione. E anche di me che sono la mamma...

Novanta, cento scalini non possono essere impedimento a una madre, sia pur vecchia e stanca, quando poi abbia lassù il premio di potersi stringere al cuore la propria figliuola.

SIGNORA SIRELLI (*trionfante*) Ah, ecco! Lo dicevamo noi, signora! Ci dev'essere una ragione!

AMALIA (*con intenzione*) C'è, vedi, Lamberto? c'è una ragione!

SIRELLI (*pronto*) Suo genero, eh?

SIGNORA FROLA Oh, ma per carità, non pensino male di lui! È un così bravo giovine! Lor signori non possono immaginare quanto sia buono! Che affetto tenero e delicato, pieno di premure, abbia per me! E non dico l'amore e le cure che ha per la mia figliuola. Ah, credano, che non avrei potuto desiderare per lei un marito migliore!

SIGNORA SIRELLI Ma... allora?

SIGNORA CINI Non sarà lui, allora, la ragione!

AGAZZI Ma certo! Non mi sembra almeno possibile ch'egli proibisca alla moglie di andare a trovar la madre, o alla madre di salire in casa per stare un po' insieme con la figliuola!

SIGNORA FROLA Proibire, no! Io non ho detto che sia lui a proibircelo! Siamo noi, signor Consigliere, io e mia figlia: ce ne asteniamo noi, spontaneamente, creda, per un riguardo a lui.

AGAZZI E come, scusi, di che potrebbe offendersi lui? Non vedo!

SIGNORA FROLA Non offendersi, signor Consigliere. – È un sentimento... – un sentimento, signore mie, difficile forse a intendere. Quando si sia inteso, però, non più difficile – credano – a compatire; quantunque importi senza dubbio un sacrifizio non lieve, tanto a me, quanto alla mia figliuola.

AGAZZI Riconoscerà che almeno è strano, tutto questo che lei ci dice, signora.

SIRELLI   Già, e tale da suscitare e legittimare la curiosità.

AGAZZI   Anche, diciamo, qualche sospetto.

SIGNORA FROLA   Contro di lui? No, per carità, non dica! Che sospetto, signor Consigliere?

AGAZZI   Nessuno! Non si turbi. Dico che si potrebbe sospettare.

SIGNORA FROLA   No, no! E di che? Se il nostro accordo è perfetto! Siamo contente, contentissime, tanto io, quanto la mia figliuola.

SIGNORA SIRELLI   Ma è gelosia forse?

SIGNORA FROLA   Per la madre? Gelosia? Non credo che si possa chiamare così. Benché, non saprei veramente. — Ecco: egli vuole il cuore della moglie tutto per sé, fino al punto che anche l'amore che la mia figliuola deve avere per la sua mamma (e l'ammette, come no? altro!) ma vuole che mi arrivi attraverso lui, per mezzo di lui, ecco!

AGAZZI   Oh! Ma scusi! Mi sembra una crudeltà bella e buona, codesta!

SIGNORA FROLA   No, no, non crudeltà! non dica crudeltà, signor Consigliere! È un'altra cosa, creda! Non riesco a esprimermi... — Natura, ecco. Ma no... Forse, oh Dio mio, sarà magari una specie di malattia, se vogliono. È come una pienezza d'amore — chiusa — ecco, sì, esclusiva; nella quale la moglie deve vivere, senza mai uscirne, e nella quale nessun altro deve entrare.

DINA   Neppure la madre?

SIRELLI   Un bell'egoismo, direi!

SIGNORA FROLA   Forse. Ma un egoismo che si dà tutto, come un mondo, alla propria donna! Egoismo, in fondo, sarebbe forse il mio, se volessi forzare questo mondo chiuso d'amore, quando so che la mia figliuola ci vive felice; così adorata! — Questo, a una madre, signore mie, deve bastare, non è vero? — Del resto, se io la vedo la mia figliuola e le parlo...

Con graziosa mossa confidenziale:

Il panierino che vado a tirare là nel cortile, porta su e giù, sempre, due paroline di lettera, con le notizie della giornata. – Mi basta questo. – E ormai, già mi sono abituata; rassegnata, là, se vogliono! Non ne soffro più.

AMALIA Eh, dopo tutto, se son contente loro!

SIGNORA FROLA (*alzandosi*) Oh, sì! gliel'ho detto. Perché è tanto buono – credano! Come non potrebbe essere di più! – Abbiamo ognuno le nostre debolezze, e bisogna che ce le compatiamo a vicenda.

Saluterà la signora Amalia:

Signora.

Saluterà le signore Sirelli e Cini, poi Dina; poi volgendosi al Consigliere Agazzi:

Mi avrà scusato...

AGAZZI Oh, signora, che dice! Le siamo gratissimi della visita.

SIGNORA FROLA (*saluterà col capo Sirelli e Laudisi, poi volgendosi alla signora Amalia*) No, prego... stia, stia, signora... non s'incomodi...

AMALIA Ma no, è mio dovere, signora.

La signora Frola escirà accompagnata dalla signora Amalia, che rientrerà poco dopo.

SIRELLI Ma che! ma che! Vi siete contentati della spiegazione?

AGAZZI Ma che spiegazione? Qua ci deve esser sotto chi sa che mistero!

SIGNORA SIRELLI E chi sa quanto deve soffrire quel povero cuore di madre!

DINA Ma anche la figliuola, Dio mio!

Pausa.

SIGNORA CINI (*dall'angolo della stanza, dove si sarà rincantucciata per nascondere il pianto, con stridula esplosione*) Le lagrime le tremavano nella voce!

AMALIA Già! quando ha detto che altro che cento scalini salirebbe, pur di stringersi al cuore la figliuola!

LAUDISI Io per me ho notato sopratutto uno studio, dico di più, un impegno di guardare da ogni sospetto il genero!

SIGNORA SIRELLI Ma che! Dio mio, se non sapeva come scusarlo!

SIRELLI Ma che scusare! la violenza? la barbarie?

SCENA QUINTA

CAMERIERE, DETTI *poi il* SIGNOR PONZA.

CAMERIERE (*presentandosi sulla soglia*) Signor Commendatore, c'è il signor Ponza che chiede d'esser ricevuto.

SIGNORA SIRELLI Oh! lui!

Sorpresa generale e movimento di curiosità ansiosa, anzi quasi sbigottimento.

AGAZZI Ricevuto da me?

CAMERIERE Sissignore. Ha detto così.

SIGNORA SIRELLI Per carità, lo riceva qua, Commendatore! — Ho quasi paura; ma una grande curiosità di vederlo da vicino, questo mostro!

AMALIA Ma che vorrà?

AGAZZI Sentiremo. Sedete, sedete. Bisogna star seduti.

Al cameriere:

Fallo passare.

Il cameriere s'inchinerà e andrà via. Entrerà poco dopo il signor Ponza. Tozzo, bruno, dall'aspetto quasi truce, tutto vestito di nero, capelli neri, fitti, fronte bassa, grossi baffi neri. Stringerà conti-

*nuamente le pugna e parlerà con sforzo, anzi con
violenza a stento contenuta. Di tratto in tratto si
asciugherà il sudore con un fazzoletto listato di
nero. Gli occhi, parlando, gli resteranno costantemente duri, fissi, tetri.*

AGAZZI   Venga, venga avanti, signor Ponza!

Presentandolo:

Il nuovo segretario signor Ponza: la mia signora –
la signora Sirelli – la signora Cini – la mia figliuola
– il signor Sirelli – Laudisi mio cognato. – S'accomodi.

PONZA   Grazie. Un momento solo e tolgo l'incomodo.

AGAZZI   Vuol parlare a parte con me?

PONZA   No, posso... posso anche davanti a tutti. Anzi... È... è una dichiarazione doverosa, da parte mia.

AGAZZI   Dice per la visita della sua signora suocera?
Può farne a meno; perché –

PONZA   – non per questo, signor Commendatore. Tengo anzi a far sapere che la signora Frola, mia suocera, sarebbe venuta senza dubbio prima che la sua
signora e la signorina avessero la bontà di degnarla
d'una loro visita, se io non avessi fatto di tutto
per impedirglielo, non potendo permettere che ella
faccia visite o ne riceva.

AGAZZI   *(con fiero risentimento)* Ma perché, scusi?

PONZA   *(alterandosi sempre più, nonostante gli sforzi
per contenersi)* Mia suocera avrà parlato a lor signori della sua figliuola; avrà detto che io le proibi-
sco di vederla, di salire in casa mia?

AMALIA   Ma no! La signora è stata piena di riguardo
e di bontà per lei!

DINA   Non ha detto di lei altro che bene!

AGAZZI   E che s'astiene lei, di salire in casa della figliuola, per un riguardo a un suo sentimento, che
noi francamente le diciamo di non comprendere.

SIGNORA SIRELLI   Anzi, se dovessimo dire proprio ciò
   che ne pensiamo...
AGAZZI   Ma sì, ci è parsa una crudeltà, ecco! una vera
   crudeltà!
PONZA   Sono qua appunto per chiarir questo, signor
   Commendatore. La condizione di questa donna è pie-
   tosissima. Ma non meno pietosa è la mia, anche per
   il fatto che mi obbliga a scusarmi, a dar loro conto
   e ragione d'una sventura, che soltanto... soltanto
   una violenza come questa poteva costringermi a sve-
   lare.

   Si fermerà un momento a guardare tutti, poi dirà
   lento e staccato:

La signora Frola è pazza.
TUTTI   (*con un sussulto*) Pazza?
PONZA   Da quattro anni.
SIGNORA SIRELLI   (*con un grido*) Oh Dio, ma non
   pare affatto!
AGAZZI   (*stordito*) Come, pazza?
PONZA   Non pare, ma è pazza. E la sua pazzia consi-
   ste appunto nel credere che io non voglia farle ve-
   dere la figliuola.

   Con orgasmo d'atroce e quasi feroce commozione:

   Quale figliuola, in nome di Dio, se è morta da quat-
   tro anni la sua figliuola?
TUTTI   (*trasecolati*) Morta? – Oh!... – Come? – Mor-
   ta?
PONZA   Da quattro anni. È impazzita proprio per que-
   sto.
SIRELLI   Ma dunque, quella che lei ha con sé? –
PONZA   – l'ho sposata da due anni: è la mia seconda
   moglie.
AMALIA   E la signora crede che sia ancora la sua fi-
   gliuola?
PONZA   È stata la sua fortuna, se così può dirsi. Mi

vide passare per via con questa mia seconda moglie, dalla finestra della stanza dove la tenevano cu-
stodita; credette di rivedere in lei, viva, la sua figliuola; e si mise a ridere, a tremar tutta; si sollevò
d'un tratto dalla tetra disperazione in cui era caduta,
per ritrovarsi in quest'altra follia, dapprima esultante, beata, poi a mano a mano più calma, ma angu-
stiata così, in una rassegnazione a cui s'è piegata da
sé; e tuttavia contenta, come han potuto vedere.
S'ostina a credere che non è vero che sua figlia sia
morta, ma che io voglia tenermela tutta per me,
senza fargliela più vedere. È come guarita. Tanto
che, a sentirla parlare, non sembra più pazza affatto.

AMALIA   Affatto! Affatto!

SIGNORA SIRELLI   Eh sì, dice proprio che è contenta
così.

PONZA   Lo dice a tutti. E ha per me veramente affetto e gratitudine. Perché io cerco d'assecondarla
quanto più posso, anche a costo di gravi sacrifizii.
Mi tocca tener due case. Obbligo mia moglie, che
per fortuna si presta caritatevolmente, a raffermarla
di continuo in quella illusione: che sia sua figlia.
S'affaccia alla finestra, le parla, le scrive. Ma, carità, ecco, dovere, fino a un certo punto, signori!
Non posso costringere mia moglie a convivere con
lei. E intanto è come in carcere, quella disgraziata,
chiusa a chiave, per paura che ella non le entri in
casa. Sì, è tranquilla, e poi così mite d'indole; ma,
capiranno, si sentirebbe raccapricciare da capo a piedi, mia moglie, alle carezze ch'ella le farebbe.

AMALIA   (*scattando, con orrore e pietà insieme*) Ah,
certo, povera signora, immaginiamoci!

SIGNORA SIRELLI   (*al marito e alla signora Cini*) Ah,
vuole dunque lei – sentite? – star chiusa a chiave!

PONZA   (*per troncare*) Signor Commendatore, inten-
derà che io non potevo lasciar fare, se non forzato,
questa visita.

AGAZZI   Ah, intendo, intendo, ora; sì sì, e mi spiego tutto.

PONZA   Chi ha una sventura come questa deve starsene appartato. Costretto a far venire qua mia suocera, era mio obbligo fare davanti a loro questa dichiarazione: dico, per rispetto al posto che occupo; perché a carico d'un pubblico ufficiale non si creda in paese una tale enormità: che per gelosia o per altro io impedisca a una povera madre di veder la figliuola.

Si alzerà.

Chiedo scusa alle signore d'averle involontariamente turbate.

S'inchinerà.

Signor Commendatore!

S'inchinerà; poi, davanti a Laudisi e Sirelli, chinando il capo:

Signori.

E andrà via per l'uscio comune.

AMALIA   (*sbalordita*) Uh... è pazza, dunque!

SIGNORA SIRELLI   Povera signora! Pazza.

DINA   Ecco perché! Si crede la madre, e quella non è la sua figliuola!

Si nasconde la faccia con le mani per orrore.

Oh Dio!

SIGNORA CINI   Ma chi l'avrebbe mai supposto!

AGAZZI   Eppure... eh! dal modo come parlava —

LAUDISI   — tu avevi già capito?

AGAZZI   No... ma, certo che... non sapeva lei stessa come dire!

SIGNORA SIRELLI   Sfido, poverina: non ragiona!

SIRELLI   Però, scusate: è strano, per una pazza! Non ragionava, certo. Ma quel cercare di spiegarsi per-

ché il genero non voglia farle vedere la figliuola; e
scusarlo, e adattarsi alle scuse trovate da lei stessa...

AGAZZI Oh bella! Appunto questa è la prova che è
pazza! In questo cercar le scuse per il genero, senza
poi riuscire a trovarne una ammissibile.

AMALIA Eh sì! diceva; si disdiceva.

AGAZZI (*a Sirelli*) E ti pare che, se non fosse pazza,
potrebbe accettare queste condizioni di non veder
la figliuola se non da una finestra, con la scusa che
adduce, di quel morboso amore del marito che vuol
la moglie tutta per sé?

SIRELLI Già! E da pazza le accetta? E vi si rassegna?
Mi sembra strano, mi sembra strano.

A Laudisi:

Tu che ne dici?

LAUDISI Io? Niente!

SCENA SESTA
CAMERIERE, DETTI, *poi la* SIGNORA FROLA.

CAMERIERE (*picchiando all'uscio e presentandosi sulla
soglia, turbato*) Permesso? C'è di nuovo la signora
Frola.

AMALIA (*con sgomento*) Oh Dio, e adesso? Se non
possiamo più levarcela d'addosso?

SIGNORA SIRELLI Eh, capisco: a saperla pazza!

SIGNORA CINI Dio, Dio! Chi sa che altro verrà a dire
adesso? Come vorrei sentirla!

SIRELLI Ne avrei anch'io curiosità. Non ne sono mica
persuaso, io, che sia pazza.

DINA Ma sì, mamma! Non c'è da aver paura: è così
tranquilla!

AGAZZI Bisognerà riceverla, certo. Sentiamo che cosa
vuole. Nel caso, si provvederà. Ma seduti, seduti.
Bisogna star seduti.

Al cameriere:

Fa' passare.

Il cameriere si ritirerà.

AMALIA   Ajutatemi, per carità! Io non so più come parlarle adesso!

Rientrerà la signora Frola. La signora Amalia si alzerà e le verrà impaurita incontro; gli altri la guarderanno sgomenti.

SIGNORA FROLA   Permesso?

AMALIA   Venga, venga avanti, signora. Sono qua ancora le mie amiche, come vede –

SIGNORA FROLA   (*con mestissima affabilità, sorridendo*) – che mi guardano... e anche lei, mia buona signora, come una povera pazza, è vero?

AMALIA   No, signora, che dice?

SIGNORA FROLA   (*con profondo rammarico*) Ah, meglio lo sgarbo, signora, di lasciarla dietro la porta, come feci la prima volta! Non avrei mai supposto che lei dovesse ritornare e costringermi a questa visita, di cui purtroppo avevo previsto le conseguenze!

AMALIA   Ma no, creda: noi siamo liete di rivederla.

SIRELLI   La signora s'affligge... non sappiamo di che; lasciamola dire.

SIGNORA FROLA   Non è uscito di qua or ora mio genero?

AGAZZI   Ah, sì! Ma è venuto... è venuto, signora, per parlare con me di... di certe cose d'ufficio, ecco.

SIGNORA FROLA   (*ferita, costernata*) Eh! codesta pietosa bugia che ella mi dice per tranquillarmi...

AGAZZI   No, no, signora, stia sicura; le dico la verità.

SIGNORA FROLA   (*c.s.*) Era calmo, almeno? Ha parlato calmo?

AGAZZI   Ma sì, calmo, calmissimo, è vero?

Tutti annuiscono, confermano.

SIGNORA FROLA   Oh Dio, signori, loro credono di rassicurare me, mentre vorrei io, al contrario, rassicurar loro sul conto di lui!

SIGNORA SIRELLI E su che cosa, signora? Se le ripetiamo che –

AGAZZI – ha parlato con me di cose d'ufficio...

SIGNORA FROLA Ma io vedo come mi guardano! Abbiano pazienza. Non è per me! Dal modo come mi guardano, m'accorgo ch'egli è venuto qua a dar prova di ciò che io per tutto l'oro del mondo non avrei mai rivelato! Mi sono tutti testimoni che poc'anzi io qua, alle loro domande che – credano – sono state per me molto crudeli, non ho saputo come rispondere; e ho dato loro, di questo nostro modo di vivere, una spiegazione che non può soddisfare nessuno, lo riconosco! Ma potevo dirne loro la vera ragione? O potevo dir loro, come va dicendo lui, che la mia figliuola è morta da quattro anni e che io sono una povera pazza che la crede ancora viva e che lui non me la vuol far vedere?

AGAZZI (*stordito dal profondo accento di sincerità con cui la signora Frola avrà parlato*) Ah... ma come? La sua figliuola?

SIGNORA FROLA (*subito, con ansia*) Vedono che è vero? Perché vogliono nascondermelo? Ha detto loro così...

SIRELLI (*esitando, ma studiandola*) Sì... difatti... ha detto...

SIGNORA FROLA Ma se lo so! E so purtroppo che turbamento gli cagiona il vedersi costretto a dir questo di me! È una disgrazia, signor Consigliere, che con tanti stenti, attraverso tanti dolori, s'è potuta superare; ma così, a patto di vivere come viviamo. Capisco, sì, che deve dar nell'occhio alla gente, provocare scandalo, sospetti. Ma d'altra parte, se lui è un ottimo impiegato, zelante, scrupoloso. Lei lo avrà già sperimentato, certo.

AGAZZI   No, per dir la verità, ancora non ne ho avuto occasione.

SIGNORA FROLA   Per carità non giudichi dall'apparenza! È ottimo; lo hanno dichiarato tutti i suoi superiori. E perché si deve allora tormentarlo con questa indagine della sua vita familiare, della sua disgrazia, ripeto, già superata e che, a rivelarla, potrebbe comprometterlo nella carriera?

AGAZZI   Ma no, signora, non s'affligga così! Nessuno vuol tormentarlo.

SIGNORA FROLA   Dio mio, come vuole che non m'affligga nel vederlo costretto a dare a tutti una spiegazione assurda, via! e anche orribile! Possono loro credere sul serio che la mia figliuola sia morta? che io sia pazza? che questa che ha con sé sia una seconda moglie? – Ma è un bisogno, credano, un bisogno per lui dire così! Gli s'è potuto ridar la calma, la fiducia, solo a questo patto. Avverte lui stesso però l'enormità di quello che dice e, costretto a dire, si eccita, si sconvolge: lo avranno veduto!

AGAZZI   Sì, difatti, era... era un po' eccitato.

SIGNORA SIRELLI   O Dio, ma come? ma allora, è lui?

SIRELLI   Ma sì, che dev'esser lui!

Trionfante:

Signori, io l'ho detto!

AGAZZI   Ma via! Possibile?

Viva agitazione in tutti gli altri.

SIGNORA FROLA   (*subito, giungendo le mani*) No, per carità, signori! Che credono? È solo questo tasto che non gli dev'esser toccato! Ma scusino, lascerei la mia figliuola sola con lui, se veramente fosse pazzo? No! E poi la prova lei può averla all'ufficio, signor Consigliere, dove adempie a tutti i suoi doveri come meglio non si potrebbe.

AGAZZI   Ah, ma bisogna che lei ci spieghi, signora,

e chiaramente, come stanno le cose! Possibile che suo genero sia venuto qua a inventarci tutta una storia?

SIGNORA FROLA Sissignore, sì, ecco, spiegherò loro tutto! Ma bisogna compatirlo, signor Consigliere!

AGAZZI Ma come? Non è vero niente che la sua figliuola è morta?

SIGNORA FROLA (*con orrore*) Oh no! Dio liberi!

AGAZZI (*irritatissimo, gridando*) Ma allora il pazzo è lui!

SIGNORA FROLA (*supplichevole*) No, no... guardi...

SIRELLI (*trionfante*) Ma sì, perdio, dev'esser lui!

SIGNORA FROLA No, guardino! guardino! Non è, non è pazzo! Mi lascino dire! – Lo hanno veduto: è così forte di complessione; violento... Sposando, fu preso da una vera frenesia d'amore. Rischiò di distruggere, quasi, la mia figliuola, ch'era delicatina. Per consiglio dei medici e di tutti i parenti, anche dei suoi (che ora, poverini, non sono più!) gli si dovette sottrarre la moglie di nascosto, per chiuderla in una casa di salute. E allora lui, già un po' alterato, naturalmente, a causa di quel suo... soverchio amore, non trovandosela più in casa... – ah, signore mie, cadde in una disperazione furiosa; credette davvero che la moglie fosse morta; non volle sentir più niente; si volle vestir di nero; fece tante pazzie; e non ci fu verso di smuoverlo più da quest'idea. Tanto che, quando (dopo appena un anno) la mia figliuola già rimessa, rifiorita, gli fu ripresentata, disse di no, che non era più lei: no, no; la guardava – no, no; non era più lei. Ah, signore mie, che strazio! Le si accostava, pareva che la riconoscesse, e poi di nuovo, no, no... E per fargliela riprendere, con l'ajuto degli amici, si dovette simulare un secondo matrimonio.

SIGNORA SIRELLI Ah, dice dunque per questo che...?

SIGNORA FROLA Sì, ma non ci crede più, certo, da un pezzo, neanche lui! Ha bisogno di darlo a intendere agli altri; non può farne a meno! Per star sicuro, capiscono? Perché forse, di tanto in tanto, gli balena ancora la paura che la mogliettina gli possa essere di nuovo sottratta.

A bassa voce, sorridendo confidenzialmente:

Se la tiene chiusa a chiave per questo – tutta per sé. Ma l'adora! Sono sicura. E la mia figliuola è contenta.

Si alzerà.

Me ne scappo, perché non vorrei che tornasse subito da me, se è così eccitato.

Sospirerà dolcemente, scotendo le mani giunte.

Ci vuol pazienza! Quella poverina deve figurare di non esser lei, ma un'altra; e io... eh! io, d'esser pazza, signore mie! Ma come si fa? Purché stia tranquillo lui! Non s'incomodino, prego, so la via. Riverisco, signori, riverisco.

Salutando e inchinandosi si ritirerà in fretta, per l'uscio comune. Resteranno tutti in piedi, sbalorditi, come basiti, a guardarsi negli occhi. Silenzio.

LAUDISI (*facendosi in mezzo a loro*) Vi guardate tutti negli occhi? Eh! La verità?

Scoppierà a ridere forte:

Ah! Ah! Ah! Ah!

Tela

ATTO SECONDO

Studio in casa del Consigliere Agazzi. – Mobili antichi; vecchi quadri alle pareti; uscio in fondo, con tenda; uscio laterale a sinistra, che dà nel salotto, anch'esso

*con tenda; a destra, un ampio camino, sulla cui menso-
la poggerà un grande specchio; su la scrivania, apparecchio telefonico; poi un divanetto, poltrone, seggiole, ecc.*

SCENA PRIMA
AGAZZI, LAUDISI, SIRELLI.

*Agazzi sarà in piedi presso la scrivania, col rice-
vitore dell'apparecchio telefonico all'orecchio. Laudisi e Sirelli, seduti, guarderanno verso di lui, in
attesa.*

AGAZZI Pronto! – Sì. – Parlo con Centuri? – Ebbene?
– Sì, bravo.

Ascolterà a lungo, poi:

Ma come, scusi! possibile?

Ascolterà di nuovo a lungo, poi:

Capisco, ma mettendocisi con un po' d'impegno...

Altra pausa lunga, poi:

È proprio strano, scusi, che non si possa...

Pausa.

Capisco, sì... capisco.

Pausa.

Basta, veda un po'... A rivederla.

Poserà il ricevitore, e verrà avanti.

SIRELLI (*ansioso*) Ebbene?
AGAZZI Niente.
SIRELLI Non si trova niente?
AGAZZI Tutto disperso o distrutto: Municipio, archi-
vio, stato civile.
SIRELLI Ma la testimonianza almeno di qualche su-
perstite?

AGAZZI   Non si ha notizia di superstiti; e se pure ce ne sono, ricerche difficilissime, ormai!

SIRELLI   Cosicché non ci resta che da credere all'uno o da credere all'altra, così, senza prove?

AGAZZI   Purtroppo!

LAUDISI   (*alzandosi*) Volete seguire il mio consiglio? Credete a tutti e due.

AGAZZI   Sì, e come –

SIRELLI   – se l'una ti dice bianco e l'altro nero?

LAUDISI   E allora non credete a nessuno dei due!

SIRELLI   Tu vuoi scherzare. Mancano le prove, i dati di fatto; ma la verità, perdio, sarà da una parte o dall'altra!

LAUDISI   I dati di fatto, già! Che vorresti desumerne?

AGAZZI   Ma scusa! L'atto di morte della figliuola, per esempio, se la signora Frola è lei la pazza (purtroppo non si trova più, perché non si trova più nulla), ma doveva esserci; si potrebbe trovare domani; e allora – trovato quest'atto – è chiaro che avrebbe ragione lui, il genero.

SIRELLI   Potresti negar l'evidenza, se domani quest'atto ti venisse presentato?

LAUDISI   Io? Ma non nego nulla io! Me ne guardo bene! Voi, non io, avete bisogno dei dati di fatto, dei documenti, per affermare o negare! Io non so che farmene, perché per me la realtà non consiste in essi, ma nell'animo di quei due, in cui non posso figurarmi d'entrare, se non per quel tanto ch'essi me ne dicono.

SIRELLI   Benissimo! E non dicono appunto che uno dei due è pazzo? O pazza lei, o pazzo lui: di qui non si scappa! Quale dei due?

AGAZZI   È qui la questione!

LAUDISI   Prima di tutto, non è vero che lo dicano entrambi. Lo dice lui, il signor Ponza, di sua suocera. La signora Frola lo nega, non soltanto per sé, ma anche per lui. Se mai, lui – dice – fu un po' alterato di mente per soverchio amore. Ma ora, sano, sanissimo.

SIRELLI   Ah dunque tu propendi, come me, verso ciò che dice lei, la suocera?

AGAZZI   Certo che, stando a ciò che dice lei, si può spiegar tutto benissimo.

LAUDISI   Ma si può spiegar tutto ugualmente, stando a ciò che dice lui, il genero!

SIRELLI   E allora – pazzo – nessuno dei due? Ma uno dev'essere, perdio!

LAUDISI   E chi dei due? Non potete dirlo voi, come non può dirlo nessuno. E non già perché codesti dati di fatto, che andate cercando, siano stati annullati – dispersi o distrutti – da un accidente qualsiasi – un incendio, un terremoto – no; ma perché li hanno annullati essi in sé, nell'animo loro, volete capirlo? creando lei a lui, o lui a lei, un fantasma che ha la stessa consistenza della realtà, dov'essi vivono ormai in perfetto accordo, pacificati. E non potrà essere distrutta, questa loro realtà, da nessun documento, poiché essi ci respirano dentro, la vedono, la sentono, la toccano! – Al più, per voi potrebbe servire, il documento, per levarvi voi una sciocca curiosità. Vi manca, ed eccovi dannati al meraviglioso supplizio d'aver davanti, accanto, qua il fantasma e qua la realtà, e di non poter distinguere l'uno dall'altra!

AGAZZI   Filosofia, caro, filosofia! Lo vedremo, lo vedremo adesso se non sarà possibile!

SIRELLI   Abbiamo inteso prima l'uno, poi l'altra; mettendoli insieme, ora, di fronte, vuoi che non si scopra dove sia il fantasma, dove la realtà?

LAUDISI   Io vi chiedo licenza di seguitare a ridere alla fine.

AGAZZI   Va bene, va bene; vedremo chi riderà meglio alla fine.   Non perdiamo tempo!

Si farà all'uscio a sinistra e chiamerà:

Amalia, signora, venite, venite qua!

SCENA SECONDA
SIGNORA AMALIA, SIGNORA SIRELLI, DINA, DETTI.

SIGNORA SIRELLI   (*a Laudisi, minacciandolo con un dito*) Ancora? ancora, lei?

SIRELLI   È incorreggibile!

SIGNORA SIRELLI   Ma come non si lascia prendere dalla smania che è in tutti ormai, di penetrar questo mistero che rischia di farci impazzire tutti quanti? Io non ci ho dormito stanotte!

AGAZZI   Per carità, signora, lo lasci perdere!

LAUDISI   Dia retta a mio cognato piuttosto, che le prepara il sonno per questa notte.

AGAZZI   Dunque. Stabiliamo. Ecco. Voi andrete dalla signora Frola...

AMALIA   E saremo ricevute?

AGAZZI   Oh Dio, direi!

DINA   È nostro dovere restituir la visita.

AMALIA   Ma se lui non vuol permettere che la signora ne faccia e ne riceva?

SIRELLI   Prima sì!· – perché ancora nessuno sapeva niente. Ma ormai che la signora, costretta, ha parlato, spiegando a modo suo la ragione del suo ritegno –

SIGNORA SIRELLI   (*seguitando*) – forse avrà piacere, anzi, di parlarci della figliuola.

DINA   È così affabile! – Ah, per me non c'è dubbio, sapete: il pazzo è lui!

AGAZZI   Non precipitiamo, non precipitiamo il giudizio. – Dunque, statemi a sentire.

Guarderà l'orologio.

Vi tratterrete poco; un quarto d'ora, non più.

SIRELLI (*alla moglie*) Per carità, sta' attenta!

SIGNORA SIRELLI (*montando in furia*) E perché dici a me?

SIRELLI Eh, perché se tu ti metti a parlare...

DINA (*per prevenire una lite fra i due*) Un quarto d'ora, un quarto d'ora; starò attenta io.

AGAZZI Io arrivo alla Prefettura, e sarò qui di ritorno alle undici. Fra una ventina di minuti.

SIRELLI (*smanioso*) E io?

AGAZZI Aspetta.

Alle donne:

Con una scusa, un poco prima, voi indurrete la signora Frola a venire qua.

AMALIA E che... che scusa?

AGAZZI Una scusa qualunque! La troverete conversando... Manca a voi? Non siete donne per nulla! C'è Dina, c'è la signora... – Entrerete, s'intende, nel salotto.

Si recherà all'uscio a sinistra e lo aprirà bene, scostando la tenda.

Quest'uscio deve restare così – bene aperto – così! per modo che di qua vi si senta parlare. – Io lascio sulla scrivania queste carte, che dovrei portare con me. È una pratica d'ufficio preparata apposta per il signor Ponza. Fingo di scordarmela, e con questo pretesto me lo conduco qua. Allora...

SIRELLI (*c.s.*) Scusa, ma io, io quando devo venire?

AGAZZI Qualche minuto dopo le undici, tu – quando già le signore saranno nel salotto, e io qua con lui. Vieni per prendere la tua signora. Ti fai introdurre da me. Io allora le inviterò tutte a favorire qua da noi –

LAUDISI (*subito*) – e la verità sarà scoperta!

DINA Ma scusa, zietto, quando saranno tutt'e due di fronte...

AGAZZI Non gli date retta, santo Dio! Andate, andate. Non c'è tempo da perdere!

SIGNORA SIRELLI Andiamo, sì, andiamo. Io neanche
lo saluto!

LAUDISI Ecco, mi saluto per lei, signora!

Si stringerà una mano con l'altra.

Buona fortuna!

Via Amalia, Dina e la signora Sirelli.

AGAZZI (*a Sirelli*) Andiamo anche noi, eh? Subito.

SIRELLI Sì, andiamo. Addio, Lamberto.

LAUDISI Addio, addio.

Agazzi e Sirelli, via.

SCENA TERZA
LAUDISI *solo, poi il* CAMERIERE.

LAUDISI (*Andrà un po' in giro per lo studio, sogghi-
gnando tra sé e tentennando il capo; poi si fermerà
davanti al grande specchio su la mensola del camino,
guarderà la propria immagine e parlerà con essa*)
Oh, eccoti qua!

*La saluterà con due dita, strizzando furbescamen-
te un occhio, e sghignerà.*

Eh caro! – Chi è il pazzo di noi due?

*Alzerà una mano con l'indice appuntato contro la
sua immagine che, a sua volta, appunterà l'indice
contro di lui. Sghignerà ancora, poi:*

Eh, lo so: io dico: « tu », e tu col dito indichi me.
– Va' là, che così a tu per tu, ci conosciamo bene
noi due! – Il guajo è che, come ti vedo io, non ti vedono gli altri! E allora, caro mio, che diventi tu?
Dico per me che, qua di fronte a te, mi vedo e mi

tocco – tu, – per come ti vedono gli altri – che diventi? – Un fantasma, caro, un fantasma! – Eppure, vedi questi pazzi? Senza badare al fantasma che portano con sé, in se stessi, vanno correndo, pieni di curiosità, dietro il fantasma altrui! E credono che sia una cosa diversa.

Il cameriere, entrato, resterà sbalordito a sentir le ultime parole del Laudisi allo specchio. Poi chiamerà:

CAMERIERE Signor Lamberto.

LAUDISI Eh?

CAMERIERE Ci sono due signore. La signora Cini e un'altra.

LAUDISI Vogliono me?

CAMERIERE Hanno chiesto della signora. Ho detto che si trovava a visita dalla signora Frola qua accanto, e allora...

LAUDISI Allora?

CAMERIERE Si sono guardate negli occhi; poi, hanno battuto le manine coi guanti: – « Ah sì? ah sì? » – e m'hanno domandato, friggendo, se non c'era proprio nessuno in casa.

LAUDISI Tu avrai risposto che non c'era nessuno.

CAMERIERE Ho risposto che c'era lei.

LAUDISI Io? No. – Quello che conoscono loro, se mai!

CAMERIERE (*più che mai sbalordito*) Come dice?

LAUDISI Ma scusa, ti pare lo stesso?

CAMERIERE (*c.s. tentando squallidamente un sorriso a bocca aperta*) Non capisco.

LAUDISI Con chi stai parlando tu?

CAMERIERE (*basito*) Come... con chi sto parlando?... Con lei...

LAUDISI E sei proprio sicuro che io sia lo stesso di quello che chiedono codeste signore?

CAMERIERE   Ma... non saprei... Hanno detto il fratello della signora...

LAUDISI   Caro! Ah... – Eh sì, allora sono io; sono io... Falle entrare, falle entrare...

Il cameriere si ritirerà voltandosi parecchie volte a riguardarlo come se non credesse più ai suoi occhi.

SCENA QUARTA
DETTO, *la* SIGNORA CINI, *la* SIGNORA NENNI.

SIGNORA CINI   Permesso?

LAUDISI   Avanti, avanti, signora.

SIGNORA CINI   M'hanno detto che la signora non c'è. Io avevo portato con me la mia amica signora Nenni,

la presenterà: è una vecchia più goffa e smorfiosa di lei, piena anch'essa di cupida curiosità, ma guardinga, sgomenta:

che aveva tanto desiderio di conoscere la signora –

LAUDISI   (*subito*) – Frola? –

SIGNORA CINI   – no, no: sua sorella!

LAUDISI   Oh, verrà, sarà qui tra poco. Anche la signora Frola. S'accomodino, prego.

Le inviterà a sedere sul divanetto: poi introducendosi graziosamente a sedere tra loro due:

Permettono? Ci si può mettere seduti bene tutti e tre. C'è anche di là la signora Sirelli.

SIGNORA CINI   Già, ce l'ha detto il cameriere.

LAUDISI   Tutto concertato, sa? Ah, sarà una scena di quelle, ma di quelle! Tra poco, alle undici. Qua.

SIGNORA CINI   (*stordita*) Concertato, scusi, che cosa?

LAUDISI   (*misterioso, prima col gesto, infrontando gl'indici delle mani; poi, con la voce*) L'incontro.

Gesto d'ammirazione, poi:

Un'idea grande!

SIGNORA CINI Che... che incontro?

LAUDISI Dei due. Prima, lui entrerà qua.

SIGNORA CINI Il signor Ponza?

LAUDISI Sì; e lei sarà condotta là.

Indicherà il salotto.

SIGNORA CINI La signora Frola?

LAUDISI Sissignora.

Daccapo, prima con un gesto espressivo della mano, poi con la voce:

Ma poi, tutti e due qua, uno di fronte all'altra; e nojaltri, attorno, a vedere e sentire. Un'idea grande!

SIGNORA CINI Per venire a sapere? –

LAUDISI – la verità! Ma già s'è saputa! Ora non resta più che di smascherarla.

SIGNORA CINI (*con sorpresa e vivissima ansia*) Ah! s'è saputo? E chi è? Chi è dei due? chi è?

LAUDISI Vediamo un po'. Indovini. Lei chi dice?

SIGNORA CINI (*gongolante, esitante*) Ma... io... ecco...

LAUDISI Lei o lui? Vediamo... Indovini... Coraggio!

SIGNORA CINI Io... io lui dico!

LAUDISI (*la guarda un po'. Poi*) È lui.

SIGNORA CINI (*gongolante*) Sì? Ah! Ecco! ecco! Ma sì! Doveva, doveva esser lui!

SIGNORA NENNI (*gongolante*) Lui! – Eh, tutte lo dicevamo, noi donne!

SIGNORA CINI E come, come s'è venuto a sapere? Son venute fuori prove, è vero? atti.

SIGNORA NENNI Per mezzo della questura, eh? Lo dicevamo! Non era possibile che non si venisse a scoprire per mezzo dell'autorità prefettizia!

LAUDISI (*farà segno con le mani d'accostarsi di più a lui; poi dirà loro piano, con tono di mistero, quasi pesando le sillabe*) L'atto del secondo matrimonio.

SIGNORA CINI (*come ricevendo un pugno sul naso*) Del secondo?

SIGNORA NENNI (*scompigliata*) Come, come? Del secondo matrimonio?

SIGNORA CINI (*rinvenendo, contrariata*) Ma allora... allora avrebbe ragione lui?

LAUDISI Eh! i dati di fatto, signore mie! L'atto del secondo matrimonio – a quanto pare – parla chiaro.

SIGNORA NENNI (*quasi piangendo*) Ma allora la pazza è lei!

LAUDISI E già! Parrebbe lei.

SIGNORA CINI Ma come? Prima ha detto lui e ora dice lei?

LAUDISI Sì. Ma perché l'atto, signora mia, quest'atto del secondo matrimonio, può essere benissimo – come ha assicurato la signora Frola – un atto simulato, mi spiego? – fatto per finta, con l'ajuto degli amici, per secondare la sua fissazione, che la moglie non fosse più quella, ma un'altra.

SIGNORA CINI Ah, ma allora un atto... così, senza valore?

LAUDISI Cioè, cioè... Con quel valore, signore mie, con quel valore che ognuno gli vuol dare! Non ci sono, scusino, anche le letterine che la signora Frola dice di ricevere ogni giorno dalla figliuola per mezzo del panierino, là nel cortile? Ci sono queste letterine, è vero?

SIGNORA CINI Sì; ebbene?

LAUDISI Ebbene: documenti, signora! Documenti, anche queste letterine! Ma secondo il valore che lei vuol dar loro! Viene il signor Ponza e dice che sono finte, fatte per secondare la fissazione della signora Frola.

SIGNORA CINI Ma allora, oh Dio, di certo non si sa niente!

LAUDISI Come niente! come niente! Non esageriamo! Scusi, i giorni della settimana, quanti sono?

SIGNORA CINI Eh, sette.

LAUDISI   Lunedì, martedì, mercoledì...

SIGNORA CINI   (*invitata a seguitare*) – giovedì, venerdì, sabato...

LAUDISI   – e domenica!

        Rivolgendosi all'altra:

E i mesi dell'anno?

SIGNORA NENNI   Dodici!

LAUDISI   Gennajo, febbrajo, marzo...

SIGNORA CINI   Abbiamo capito! Lei vuole burlarsi di noi!

SCENA QUINTA

DETTI *e* DINA.

DINA   (*sopravvenendo di corsa dall'uscio in fondo*) Zietto, per favore...

      Si arresterà, vedendo la signora Cini.

Oh, signora, lei qui?

SIGNORA CINI   Sì, ero venuta con la signora Nenni –

LAUDISI   – che ha tanto desiderio di conoscere la signora Frola.

SIGNORA NENNI   Ma no, scusi...

SIGNORA CINI   Seguita a prenderci in giro! Ah, cara signorina! Ci ha tutte abburattate, sa? come quando si entra in una stazione: tàn-tàn, tàn-tàn, che non si finisce mai d'infilare scambi! Siamo stordite!

DINA   Oh! È tanto cattivo in questo momento, anche con tutti noi! Abbiano pazienza. Non ho più bisogno di niente. Vado a dire alla mamma che ci sono qua loro: basterà. – Ah zio, se la sentissi, che tesorino di vecchietta! come parla! che bontà! – E che casetta tutta in ordine, linda; ogni cosa a garbo; le tovagline bianche sui mobili... Ci ha mostrato tutte le letterine della figliuola.

SIGNORA CINI   Già... ma... se, come ci stava dicendo il signor Laudisi...

DINA   E che ne sa lui? Non le ha mica lette!

SIGNORA NENNI   Non possono esser finte?

DINA   Ma che finte! Non gli diano retta! Potrebbe
mai ingannarsi una madre su le espressioni della propria figliuola? L'ultima letterina, di jeri...

S'interromperà, udendo nel salotto accanto, attra-
verso l'uscio rimasto aperto, rumore di voci.

Ah, eccole: sono già qua, senz'altro!

Andrà all'uscio del salotto a guardare.

SIGNORA CINI   (*correndole dietro*) Con lei? con la signora Frola?

DINA   Sì, vengano, vengano. Bisogna che stiamo tutti
nel salotto. Sono già le undici, zio?

SCENA SESTA
DETTI, *la* SIGNORA AMALIA.

AMALIA   (*sopravvenendo anche lei agitata, ma dall'uscio
del salotto*) Se ne potrebbe ormai fare a meno! Non
c'è più bisogno di prove!

DINA   Ma già! Lo penso anch'io! Ormai è inutile!

AMALIA   (*salutando in fretta, dolente e in ansia, la signora Cini*) Cara signora.

SIGNORA CINI   (*presentando la signora Nenni*) La signora Nenni, venuta con me per...

AMALIA   (*salutando in fretta anche la signora Nenni*)
Piacere, signora.

Poi:

Non c'è dubbio! È lui!

SIGNORA CINI   È lui, è vero? è lui?

DINA   Se si potesse impedire, prevenendo il babbo,
quest'inganno alla povera signora!

AMALIA   Già! L'abbiamo condotta di là! Mi par proprio di farle un tradimento!

LAUDISI Ma sì! Indegno, indegno. Avete ragione! Tanto più che comincia a parermi evidente che dev'esser lei! lei di sicuro!

AMALIA Lei? Come! Che dici?

LAUDISI Lei, lei, lei.

AMALIA Ma va' là!

DINA Siamo ormai così certe del contrario, noi!

SIGNORA CINI e SIGNORA NENNI (*gongolanti*) Sì, sì, eh?

LAUDISI Ma appunto perché ne siete così certe vojaltre!

DINA Andiamo, via, andiamo di là; non vedete che lo fa apposta?

AMALIA Andiamo, sì, andiamo, signore mie.

Davanti all'uscio a sinistra:

Favoriscano, prego.

Via la signora Cini, la signora Nenni, Amalia. Dina farà per uscire anche lei.

LAUDISI (*chiamandola a sé*) Dina!

DINA Non ti voglio dare ascolto! No! no!

LAUDISI Richiudi codesto uscio, se per te ormai la prova è inutile.

DINA E il babbo? L'ha lasciato lui così aperto. Starà per venire con quell'altro. Se lo trovasse chiuso... Sai bene com'è, il babbo!

LAUDISI Ma lo persuaderete voi (tu, specialmente) che non c'era più bisogno di tenerlo aperto. Non ne sei convinta tu?

DINA Convintissima!

LAUDISI (*con un sorriso di sfida*) E chiudilo allora!

DINA Tu vorresti pigliarti il piacere di vedermi dubitare ancora. Non chiudo. Ma solo per il babbo.

LAUDISI (*c.s.*) Vuoi che lo chiuda io?

DINA Su la tua responsabilità!

LAUDISI   Ma io non ho come te la certezza che il pazzo sia lui.

DINA   E tu vieni in salotto, senti parlare la signora,
come l'abbiamo sentita noi, e vedrai che non avrai
più nessun dubbio neanche tu. Vieni?

LAUDISI   Sì, vengo. E posso chiudere, sai? Su la mia
responsabilità.

DINA   Ah, vedi? Anche prima di sentirla parlare!

LAUDISI   No, cara. Perché son sicuro che tuo padre, a
quest'ora, pensa anche lui, come vojaltre, che questa
prova sia inutile.

DINA   Ne sei sicuro?

LAUDISI   Ma sì! Sta parlando con lui! Avrà acquistato
senza dubbio la certezza che la pazza è lei.

S'appresserà all'uscio risolutamente.

Chiudo.

DINA   (*subito trattenendolo*) No.

Poi, riprendendosi:

Scusa... se pensi così... lasciamolo aperto...

LAUDISI   (*riderà al suo solito*) Ah ah ah...

DINA   Io dico per il babbo!

LAUDISI   E il babbo dirà per voi! – Lasciamolo aperto.

*Si sentirà sonare, nel salotto accanto, sul piano-
forte, un'antica aria piena di dolce e mesta grazia,
della Nina pazza per amore del Paisiello.*

DINA   Ah, è lei... senti? suona! suona lei!

LAUDISI   La vecchietta?

DINA   Sì, ci ha detto che la figliuola, prima, la sonava
sempre, questa vecchia aria. Senti con quanta dolcezza la suona? Andiamo, andiamo.

Esciranno   tutti e due per l'uscio a sinistra.

SCENA SETTIMA

AGAZZI, *il* SIGNOR PONZA, *poi* SIRELLI.

La scena, appena usciti Laudisi e Dina, resterà vuota per un pezzo. Seguiterà dall'interno il suono del pianoforte. Il signor Ponza, entrando per l'uscio in fondo col consigliere Agazzi e udendo quella musica, si turberà profondamente; e il suo turbamento andrà man mano crescendo durante la scena.

AGAZZI (*davanti all'uscio in fondo*) Passi, passi, prego.

Farà entrare il signor Ponza, poi entrerà lui e si dirigerà alla scrivania per prendere le carte che avrà finto di dimenticare lassù.

Ecco, devo averle lasciate qua. S'accomodi, prego.

Il signor Ponza resterà in piedi, guardando con agitazione verso il salotto, donde verrà il suono del pianoforte.

Eccole qua, difatti.

Prenderà le carte e s'appresserà al signor Ponza, sfogliandole.

È una contesa, come le dicevo, aggrovigliata, che si trascina da anni.

Si volterà anche lui a guardare verso il salotto, urtato dal suono del pianoforte.

Ma questa musica! Giusto ora!

Farà un gesto di dispetto, nel voltarsi, come per dire tra sé: « Che stupide! »

Chi suona?

Si farà a guardare, attraverso l'uscio, nel salotto; scorgerà al pianoforte la signora Frola, farà un atto di meraviglia.

Ah! Oh guarda!

PONZA   (*appressandoglisi, convulso*) In nome di Dio, è lei? suona lei?

AGAZZI   Sì, sua suocera! E come suona bene!

PONZA   Ma come? Se la sono portata qua, di nuovo? E la fanno sonare?

AGAZZI   Non vedo che male possa esserci!

PONZA   Ma no, per carità! Questa musica, no! È quella che sonava la sua figliuola!

AGAZZI   Ah, forse le fa male sentirla sonare?

PONZA   Ma non a me! Fa male a lei! Un male incalcolabile! Ho pur detto a lei, signor Consigliere, e alle signore le condizioni di quella povera disgraziata –

AGAZZI   (*procurando di calmarlo nell'agitazione sempre crescente*) – sì, sì... ma veda –

PONZA   (*seguitando*) – che dev'essere lasciata in pace! che non può ricever visite, né farne! So io solo, so io solo come si deve trattare con lei! La rovinano! la rovinano!

AGAZZI   Ma no, perché? Le mie donne sapranno bene anche loro...

S'interromperà improvvisamente al cessare della musica nel salotto, da cui verrà ora un coro d'approvazioni.

Ecco, guardi... può ascoltare...

Dall'interno giungeranno, spiccatamente, queste battute di dialogo:

DINA   Ma lei suona ancora benissimo, signora!

SIGNORA FROLA   Io? Eh, la mia Lina! ·dovrebbero sentire la mia Lina, come la suona!

PONZA   (*fremendo, strizzandosi le mani*) La sua Lina! Sente? Dice la sua Lina!

AGAZZI   Eh già, la sua figliuola.

PONZA   Ma dice *suona*! dice *suona*!

Di nuovo, dall'interno, spiccatamente:

SIGNORA FROLA Eh no, non può più sonare, da allora! E forse è questo il suo maggior dolore, poverina!

AGAZZI Mi sembra naturale... La crede ancora viva...

PONZA Ma non le si deve far dire così! Non deve... non deve dirlo... Ha sentito? *Da allora...* Ha detto, *da allora!* Per *quel* pianoforte, certo! Lei non sa! Per il pianoforte della povera morta!

Sopravverrà a questo punto Sirelli, il quale, udendo le ultime parole del Ponza e notandone l'estrema esasperazione, resterà come basito. Agazzi, anche lui sbigottito, gli farà cenno d'appressarsi.

AGAZZI Ti prego, fai venire qua le signore!

Sirelli, tenendosi al largo, si farà all'uscio a sinistra e chiamerà le signore.

PONZA Le signore? Qua? No, no! Piuttosto...

SCENA OTTAVA

La SIGNORA FROLA, *la* SIGNORA AMALIA, *la* SIGNORA SIRELLI, DINA, *la* SIGNORA CINI, *la* SIGNORA NENNI, LAUDISI, DETTI.

Le signore, al cenno di Sirelli pieno di sbigottimento, entreranno sgomente. La signora Frola, scorgendo il genero in quello stato d'orgasmo, tutt'un fremito quasi animalesco, ne avrà terrore. Investita da lui con estrema violenza durante la scena seguente, farà alle signore, di tratto in tratto, con gli occhi, cenni espressivi d'intelligenza. La scena si svolgerà rapida e concitatissima.

PONZA Lei, qua? Qua di nuovo? Che è venuta a fare?

SIGNORA FROLA Ero venuta, abbi pazienza...

PONZA È venuta qua a dire ancora... Che ha detto? che ha detto a codeste signore?

SIGNORA FROLA Niente, ti giuro! Niente!

PONZA   Niente? Come niente? Ho sentito io! Ha sentito con me questo signore!

Indicherà Agazzi.

Lei ha detto suona! Chi suona? Lina suona? Lei lo sa bene che è morta da quattro anni la sua figliuola!

SIGNORA FROLA   Ma sì, caro! Càlmati! sì! sì!

PONZA   « E non può più sonare da allora »! Sfido che non può più sonare da allora! Come vuole che suoni, se è morta?

SIGNORA FROLA   Ecco! certo! E non l'ho detto io, signore mie? L'ho detto, che non può più, da allora. Se è morta!

PONZA   E perché pensa ancora a quel pianoforte, dunque?

SIGNORA FROLA   Io? no; non ci penso più! non ci penso più!

PONZA   L'ho sfasciato io! E lei lo sa! Quando la sua figliuola è morta! Per non farlo toccare a quest'altra, che del resto non sa sonare! Lei lo sa che non suona quest'altra.

SIGNORA FROLA   Ma se non sa sonare! certo!

PONZA   E come si chiamava, si chiamava Lina, è vero? la sua figliuola. Ora dica qua come si chiama la mia seconda moglie! Lo dica qua a tutti, perché lei lo sa bene! – Come si chiama?

SIGNORA FROLA   Giulia! Giulia si chiama! Sì, sì, è proprio vero, signori; si chiama Giulia!

PONZA   Giulia, dunque, non Lina! E non cerchi d'ammiccare intanto, dicendo che si chiama Giulia!

SIGNORA FROLA   Io? no! Non ho ammiccato!

PONZA   Me ne sono accorto! Ha ammiccato! Me ne sono accorto bene! Lei vuol rovinarmi! Vuol dare a intendere a questi signori che io voglia tenermi ancora tutta per me la sua figliuola, come se non fosse morta.

Romperà in spaventosi singhiozzi.

Come se non fosse morta!

SIGNORA FROLA (*subito con infinita tenerezza e umiltà, accorrendo a lui*) Io? Ma no, no, figliuolo mio caro! Càlmati, per carità! Io non ho detto mai questo... È vero? è vero, signore?

AMALIA, SIGNORA SIRELLI, DINA Ma sì! sì – Non l'ha mai detto! – Ha detto sempre che è morta!

SIGNORA FROLA È vero? Che è morta, ho detto! Come no? E che tu sei tanto buono con me!

Alle signore:

È vero? è vero? Io, rovinarti? Io, comprometterti?

PONZA (*rizzandosi, terribile*) Ma va cercando intanto nelle case degli altri il pianoforte, per farci le sonatine della sua figliuola, e va dicendo che Lina le suona così, e meglio di così!

SIGNORA FROLA No, è stato... l'ho fatto... tanto... tanto per provare...

PONZA Lei non può! Lei non deve! Come le può venire in mente di sonare ancora ciò che sonava la sua figliuola morta?

SIGNORA FROLA Hai ragione, sì, ah poverino... poverino!

Intenerita, si metterà a piangere.

Non lo farò più! non lo farò più!

PONZA (*investendola terribilmente da vicino*) Vada! vada via! vada via!

SIGNORA FROLA Sì... sì... vado, vado... Oh Dio!

Farà cenni supplichevoli a tutti, arretrando, d'aver riguardo al genero, e si ritirerà piangendo.

SCENA NONA
DETTI, *meno la* SIGNORA FROLA

Resteranno tutti compresi di pietà e di terrore, a mirare il signor Ponza. Ma subito, questi, appena

*uscita la suocera, cangiato, calmo, riprendendo la
sua aria normale, dirà semplicemente:*

PONZA   Chiedo scusa a lor signori di questo triste spettacolo che ho dovuto dar loro per rimediare al male che, senza volerlo, senza saperlo, con la loro pietà, fanno a questa infelice.

AGAZZI   (*sbalordito come tutti gli altri*) Ma come? Lei ha finto?

PONZA   Per forza, signori! E non intendono che l'unico mezzo è questo, per tenerla nella sua illusione? che io le gridi così la verità, come se fosse una mia pazzia? Mi perdonino, e mi permettano: bisogna che io corra ora da lei.

*Via di fretta per l'uscio comune. Resteranno tutti,
di nuovo, sbalorditi, in silenzio, a guardarsi tra
loro.*

LAUDISI   (*facendosi in mezzo*) Ed ecco, signori, scoperta la verità!

Scoppierà a ridere:

Ah! ah! ah! ah!

Tela

ATTO TERZO

La stessa scena del secondo atto.

SCENA PRIMA
LAUDISI, CAMERIERE, *il commissario* CENTURI.

*Laudisi sarà sdrajato su una poltrona e leggerà.
Attraverso l'uscio di sinistra che dà nel salotto,
giungerà il rumore confuso di molte voci. Il came-*

riere, dall'uscio in fondo, darà il passo al commis-
sario Centuri.

CAMERIERE Favorisca qua. Vado ad avvertire il signor
Commendatore.

LAUDISI (*voltandosi e scorgendo il Centuri*) Oh, il signor Commissario!

Si alzerà in fretta e richiamerà il cameriere che sta
per uscire:

Ps! Aspetta.

A Centuri:

Notizie?

CENTURI (*alto, rigido, aggrondato, sui quarant'anni*)
Sì, qualcuna.

LAUDISI Ah bene!

Al cameriere:

Lascia. Lo chiamerò poi io di qua, mio cognato.

Indicherà, con una mossa del capo, l'uscio di sini-
stra. Il cameriere s'inchinerà, e via.

Lei ha fatto il miracolo! Salva una città! Sente? sente come gridano? Ebbene: notizie certe?

CENTURI Di qualcuno che s'è potuto finalmente rintracciare –

LAUDISI – del paese del signor Ponza? Compaesani
che sanno?

CENTURI Sissignore. Alcuni dati; non molti, ma sicuri.

LAUDISI Ah, bene! bene! Per esempio?

CENTURI Ecco, ho qua le comunicazioni che mi sono
state trasmesse.

Trarrà dalla tasca interna della giacca una busta
gialla aperta con un foglio dentro e la porgerà a
Laudisi.

LAUDISI Vediamo! Vediamo!

Caverà il foglio dalla busta e si metterà a leggerlo
con gli occhi, intercalando di tratto in tratto con
diversi toni, ora un ah! ora un eh! prima di com-
piacimento, poi di dubbio, poi quasi di commisera-
zione; infine di piena disillusione.

Ma no! Non c'è niente! niente di certo in queste notizie, signor Commissario!

CENTURI   Tutto quello che si è potuto sapere.

LAUDISI   Ma tutti i dubbi sussistono come prima!

> *Lo guarderà; poi con una risoluzione*
> *improvvisa:*

Vuol fare un bene davvero, signor Commissario? rendere un segnalato servizio alla cittadinanza, di cui
il buon Dio certamente le darà merito?

CENTURI   (*guardandolo perplesso*) Che servizio? non
saprei!

LAUDISI   Ecco, guardi. Segga lì.

> *Indicherà la scrivania.*

Strappi questo mezzo foglio d'informazioni che non
dicono nulla; e qua, sull'altro mezzo, scriva qualche informazione precisa e sicura.

CENTURI   (*stupito*) Io? Come? Che informazione?

LAUDISI   Una qualunque, a suo piacere! A nome di
questi due compaesani che si son potuti rintracciare.
– Per il bene di tutti! Per ridare la tranquillità a
tutto il paese! Vogliono una verità, non importa
quale; pur che sia di fatto, categorica? E lei la dia!

CENTURI   (*con forza; riscaldandosi; quasi offeso*) Ma
come la do, se non l'ho! Vuole che faccia un falso?
Mi fa meraviglia che osi propormelo! E dico meraviglia per non dire altro! Via, mi faccia il piacere d'an-
nunziarmi subito al signor Consigliere.

LAUDISI   (*aprirà le braccia, sconfitto*) La servo subito.

S'avvierà all'uscio a sinistra; lo aprirà. Subito si fa-

ranno sentire più alte le grida della gente che po-
pola il salotto. Ma appena Laudisi varcherà la so-
glia, le grida cesseranno d'un tratto. E dall'inter-
no si udrà la voce di Laudisi che annunzia: « Si-
gnori, c'è il Commissario Centuri; reca notizie cer-
te, di gente che sa! » Applausi, grida d'evviva ac-
coglieranno la notizia. Il Commissario Centuri si
turberà, sapendo bene che le informazioni che reca
non basteranno a soddisfare tanta aspettativa.

SCENA SECONDA

DETTO, AGAZZI, SIRELLI, LAUDISI, *la* SIGNORA AMA-
LIA, DINA, *la* SIGNORA SIRELLI, *la* SIGNORA CINI, *la*
SIGNORA NENNI, *molti altri signori e signore.*

Si precipiteranno tutti per l'uscio a sinistra, con
Agazzi alla testa, accesi, esultanti, battendo le ma-
ni e gridando: « Bravo! bravo, Centuri! »

AGAZZI (*con le mani protese*) Caro Centuri! Lo volevo dire io! Non era possibile che lei non ne venisse
a capo!

TUTTI Bravo! Bravo! Vediamo! vediamo! Le prove,
subito! Chi è? chi è?

CENTURI (*stupito, frastornato, smarrito*) Ma no, ecco... io, signor Consigliere...

AGAZZI Signori, per carità! Piano!

CENTURI Ho fatto di tutto, sì; ma se di là il signor
Laudisi ha detto loro –

AGAZZI – che lei ci reca notizie certe! –

SIRELLI – dati precisi! –

LAUDISI (*forte, risoluto, prevenendo*) – non molti, sì,
ma precisi! Di gente che s'è potuta rintracciare! Del
paese del signor Ponza! Qualcuno che sa!

TUTTI Finalmente! Ah, finalmente! finalmente!

CENTURI (*stringendosi nelle spalle e porgendo il fo-*
glio ad Agazzi) Ecco qua a lei, signor Consigliere.

AGAZZI (*aprendo il foglio tra la ressa di tutti che gli si precipiteranno attorno*) Ah, vediamo! vediamo!

CENTURI (*risentito, appressandosi a Laudisi*) Ma lei, signor Laudisi...

LAUDISI (*subito, forte*) Lasci leggere, per carità! Lasci leggere!

AGAZZI Un momento di pazienza, signori! Fate largo! Ecco, leggo, leggo!

Si fa un momento di silenzio. E nel silenzio, allora, spiccherà netta e ferma la voce di Laudisi.

LAUDISI Ma io ho già letto!

TUTTI (*lasciando il consigliere Agazzi e precipitandosi rumorosamente attorno a lui*) Ah sì? Ebbene? Che dice? Che si sa?

LAUDISI (*scandendo bene le parole*) È certo, inconfutabile, per testimonianza d'un compaesano del signor Ponza, che la signora Frola è stata in una casa di salute!

TUTTI (*con rammarico e delusione*) Oh!

SIGNORA SIRELLI La signora Frola?

DINA Ma dunque è proprio lei?

AGAZZI (*che nel frattempo avrà letto, griderà, agitando il foglio*) Ma no! ma no! Qua non dice niente affatto così!

TUTTI (*di nuovo, lasciando Laudisi, si precipiteranno attorno ad Agazzi gridando*) Ah, come! Che dice? che dice?

LAUDISI (*ad Agazzi forte*) Ma sì! Dice « la signora »! Dice specificatamente « la signora »!

AGAZZI (*più forte*) Ma nient'affatto! « Gli pare » dice questo signore; non ne è affatto sicuro! E non sa, a ogni modo, se la madre o la figlia!

TUTTI (*con soddisfazione*) Ah!

LAUDISI (*tenendo testa*) Ma dev'essere lei, la madre, senza dubbio!

SIRELLI Che! È la figlia, signori! La figlia! —

SIGNORA SIRELLI — come ci ha detto lei stessa, la signora, del resto! —

AMALIA — ecco! benissimo! quando la sottrassero di nascosto al marito —

DINA — e la chiusero appunto in una casa di salute!

AGAZZI E del resto non è neanche del paese quest'informatore! Dice che ci andava spesso... che non ricorda bene... che gli pare d'aver sentito dire così...

SIRELLI Ah! Cose dette in aria, dunque!

LAUDISI Ma scusate tanto, se siete tutti così convinti che la signora Frola ha ragione lei, che andate ancora cercando? Finitela perdio, una buona volta! Il pazzo è lui, e non se ne parli più!

SIRELLI Già! se non ci fosse il Prefetto, caro mio, che crede il contrario, e accorda ostentatamente al signor Ponza tutta la fiducia!

CENTURI Sissignori, è vero! Il signor Prefetto crede al signor Ponza; l'ha detto anche a me!

AGAZZI Ma perché il signor Prefetto non ha ancora parlato con la signora qua accanto!

SIGNORA SIRELLI Sfido! Ha parlato solo con lui!

SIRELLI E del resto, ci son altri qua che credono come il Prefetto!

UN SIGNORE Io, io, per esempio, sissignori! Perché so d'un caso simile, io; d'una madre impazzita per la morte della figliuola, la quale crede che il genero non voglia fargliela vedere. Tal'e quale!

SECONDO SIGNORE No, no, c'è in più che il genero è rimasto vedovo e non ha più nessuno a casa con sé. Mentre qua, questo signor Ponza, ha una in casa con sé...

LAUDISI (*acceso da un subito pensiero*) Oh Dio, signori! Avete sentito? Ma eccolo trovato il bandolo! Dio mio! L'uovo di Colombo!

Battendo sulla spalla del secondo signore:

Bravo! bravo, caro signore! Avete sentito?

TUTTI (*perplessi, non comprendendo*) Ma che è? che è?

SECONDO SIGNORE (*stordito*) Che ho detto? Io non so...

LAUDISI Come, che ha detto? Ha risolto la questione! Eh, un po' di pazienza, signori!

Ad Agazzi:

Il Prefetto deve venire qua?

AGAZZI Sì, lo aspettiamo... Ma perché? Spiègati!

LAUDISI È inutile che venga qua per parlare con la signora Frola! Finora crede al genero; quando avrà parlato con la suocera, non saprà più neanche lui a chi credere dei due! No, no! Qua bisogna che faccia ben altro il signor Prefetto. Una cosa che può fare lui solo!

TUTTI Che cosa? che cosa?

LAUDISI (*raggiante*) Ma come! Non avete sentito che cosa ha detto questo signore? Il signor Ponza ha « una » in casa con sé! La moglie.

SIRELLI Far parlare la moglie? Eh già! Eh già!

DINA Ma se è tenuta come in carcere quella poverina?

SIRELLI Bisogna che il Prefetto s'imponga e la faccia parlare!

AMALIA Certo è l'unica che possa dire la verità!

SIGNORA SIRELLI Ma che! Dirà ciò che vuole il marito!

LAUDISI Già! Se dovesse parlare davanti a lui! Certo!

SIRELLI Dovrebbe parlare da sola a solo col Prefetto!

AGAZZI E il Prefetto potrebbe imporre, senz'altro, con la sua autorità, che la moglie gli confessi a quattr'occhi come stanno realmente le cose. Sicuro! Sicuro! Non le sembra, Centuri?

CENTURI Eh, senza dubbio; se il signor Prefetto volesse!

AGAZZI È l'unica veramente! Bisognerebbe avvertirlo, e risparmiargli per ora l'incomodo di venire da me. Vada, vada lei, caro Centuri.

CENTURI   Sissignore. La riverisco. Signore, signori.

S'inchinerà, e via.

SIGNORA SIRELLI   (*battendo le mani*) Ma sì! Bravo
  Laudisi!

DINA   Bravo, bravo, zietto! Che bell'idea!

TUTTI   Bravo! bravo! – Sì, è l'unica! è l'unica!

AGAZZI   Ma già! Come non ci avevamo pensato?

SIRELLI   Sfido! Nessuno l'ha mai veduta! Come se
  non ci fosse, quella poverina!

LAUDISI   (*come folgorato da una nuova idea*) Oh!
  Ma, scusate, siete poi proprio sicuri che ci sia?

AMALIA   Come? Dio mio, Lamberto!

SIRELLI   (*fingendo di ridere*) Vorresti metterne in
  dubbio anche l'esistenza?

LAUDISI   Eh, andiamoci piano: dite voi stessi che nessuno l'ha mai veduta!

DINA   Ma via! C'è la signora che la vede e le parla
  ogni giorno!

SIGNORA SIRELLI   E poi l'asserisce anche lui, il genero!

LAUDISI   Sta bene! Ma riflettete un momento. A rigo-
  re di logica, in quella casa non dovrebbe esserci altro che un fantasma.

TUTTI   Un fantasma?

AGAZZI   Eh via, smettila una buona volta!

LAUDISI   Lasciatemi dire. – Il fantasma d'una seconda moglie, se ha ragione lei, la signora Frola. O il
  fantasma della figliuola, se ha ragione lui, il signor
  Ponza. Resta ora da vedere, o signori, se questo fantasma per l'uno o per l'altra sia poi realmente una
  persona per sé. Arrivati a questo punto, mi sembra
  che sia anche il caso di dubitarne!

AMALIA   Ma va' la! Tu vorresti farci impazzire tutti
  quanti con te!

SIGNORA NENNI   Oh Dio, mi sento aggricciar le carni!

SIGNORA CINI Non so che gusto provi a farci impaurire così!

TUTTI Ma che! ma che! scherza! scherza!

SIRELLI È una donna in carne ed ossa, state sicuri. E la faremo parlare! la faremo parlare!

AGAZZI L'hai proposto tu stesso, scusa, di farla parlare col Prefetto!

LAUDISI Io, sì; se lassù c'è veramente una donna: dico, una donna qualunque. Ma badate bene, signori miei, che una donna qualunque, lassù, non ci può essere. Non c'è! Io almeno dubito, adesso, che ci sia.

SIGNORA SIRELLI Dio mio, davvero vuol farci impazzire!

LAUDISI Eh! vedremo, vedremo!

TUTTI (*confusamente*) Ma se è stata vista anche da altri! – Se s'affaccia dal cortile! – Le scrive le letterine! – Lo fa apposta, per ridersi di noi!

SCENA TERZA
DETTI, CENTURI *di ritorno.*

CENTURI (*tra l'agitazione di tutti s'introdurrà accaldato, annunziando*) Il signor Prefetto! il signor Prefetto!

AGAZZI Come? Qua? E che ha fatto allora lei?

CENTURI L'ho incontrato per via, col signor Ponza, diretto qua...

SIRELLI Ah, con lui?

AGAZZI Oh Dio, no! se viene col Ponza, entrerà dalla signora qua accanto! Per piacere, Centuri, si metta davanti la porta e lo preghi a nome mio di favorire prima qua da me un momento, come m'aveva promesso.

CENTURI Sissignore, non dubiti. Vado.

Via di fretta per l'uscio in fondo.

AGAZZI   Signori, vi prego di ritirarvi un poco di là nel salotto.

SIGNORA SIRELLI   Ma glielo dica bene, sa! È l'unica! è l'unica!

AMALIA   (*davanti all'uscio a sinistra*) Avanti, favoriscano, signore.

AGAZZI   Tu resta, Sirelli. E anche tu, Lamberto.

Tutti gli altri, signori e signore, usciranno per l'uscio a sinistra. Agazzi a Laudisi:

Ma lascia che parli io, ti prego.

LAUDISI   Per me, figùrati! Anzi, se vuoi che me ne vada anch'io...

AGAZZI   No no: è meglio che tu ci sia. – Ah, eccolo qua.

SCENA QUARTA
DETTI, *il* SIGNOR PREFETTO, CENTURI.

IL PREFETTO   (*sui sessanta, alto, grasso, aria di bonomia facilona*) Caro Agazzi! – Oh, c'è anche lei, Sirelli? – Caro Laudisi!

Stringerà la mano a tutti.

AGAZZI   (*invitandolo col gesto a sedere*) Scusami, se t'ho fatto pregare d'entrare prima da me.

IL PREFETTO   Era mia intenzione; come t'avevo promesso. Sarei venuto dopo, certamente.

AGAZZI   (*scorgendo indietro e ancora in piedi il Centuri*) Prego, Centuri, venga avanti; segga qua.

IL PREFETTO   Eh lei, Sirelli – ho saputo! – è uno dei più accesi, dei più agitati, per queste dicerie sul nostro nuovo segretario.

SIRELLI   Oh no, creda, signor Prefetto, sono tutti agitati non meno di me, in paese.

AGAZZI   È la verità, sì, agitatissimi tutti.

IL PREFETTO   E io che non so vederne la ragione!

AGAZZI Perché non t'è avvenuto d'assistere a certe scene, com'è avvenuto a noi che abbiamo, qua accanto, la suocera.

SIRELLI Perdoni, signor Prefetto, Lei non l'ha ancora sentita, questa povera signora.

IL PREFETTO Mi recavo appunto da lei.

Ad Agazzi:

Ti avevo promesso che l'avrei sentita qua da te, come tu desideravi. Ma il genero stesso è venuto a pregarmi, a implorare la grazia (per far cessare tutte queste chiacchiere) che mi recassi in casa di lei. Scusate, vi pare che lo avrebbe fatto, se non fosse più che sicuro che avrei avuto da questa visita la prova di quanto egli afferma?

AGAZZI Oh certo! Perché davanti a lui, quella poveretta –

SIRELLI (*attaccando subito*) – avrebbe detto come vuol lui, signor Prefetto! E questa è la prova che la pazza non è lei!

AGAZZI Ne abbiamo fatto l'esperimento qua, noi, jeri!

IL PREFETTO Ma sì, caro: perché egli appunto le fa credere che il pazzo sia lui! Me ne ha prevenuto. E difatti, come potrebbe illudersi, altrimenti, codesta disgraziata? È un martirio, credete, un martirio per quel pover'uomo!

SIRELLI Già! Se non dà lei, invece, l'illusione a lui di credere che la figliuola sia morta, perché possa star sicuro che la moglie non gli sarà di nuovo sottratta! In questo caso, vede bene, signor Prefetto, il martirio sarebbe della signora; non più di lui!

AGAZZI Il dubbio è questo. E quando t'è entrato nell'animo un simile dubbio –

SIRELLI – come è entrato in tutti! –

IL PREFETTO – il dubbio? Eh, no; mi pare che in voi, anzi, non ce ne sia più neppur l'ombra! Come vi confesso che non ce n'è più neppure in me per un altro verso. – E lei, Laudisi?

LAUDISI   Mi scusi, signor Prefetto. Io ho promesso a mio cognato di non aprir bocca.

AGAZZI   (*scattando*) Ma va' là, che dici! Se ti domanda, rispondi! – Gli avevo detto di non parlare, sai perché? perché si diverte da due giorni a intorbidare peggio le acque!

LAUDISI   Non lo creda, signor Prefetto. È proprio al contrario. Io ho fatto di tutto per rischiararle, le acque.

SIRELLI   Già! Sa come? Sostenendo che non è possibile scoprire la verità, e ora facendo sorgere il dubbio che in casa del signor Ponza non ci sia una donna, ma un fantasma!

IL PREFETTO   (*godendoci*) Come! come! Oh bella!

AGAZZI   Per carità! Lo comprendi: è inutile dare ascolto a lui!

LAUDISI   Eppure, signor Prefetto, lei è stato invitato a venire qua, per me!

IL PREFETTO   Perché pensa anche lei che farei bene a parlare con la signora qua accanto?

LAUDISI   No, per carità! Lei fa benissimo a stare a ciò che dice il signor Ponza!

IL PREFETTO   Ah, bene! Dunque crede anche lei che il signor Ponza...?

LAUDISI   (*subito*) No. Come vorrei che tutti qua stessero a ciò che dice la signora Frola; e la facessero finita!

AGAZZI   Hai capito? Ti pare un ragionamento, codesto?

IL PREFETTO   Permetti?

A Laudisi:

Secondo lei, dunque, si può prestar fede anche a ciò che dice la signora?

LAUDISI   Altro che! In tutto e per tutto. Come a ciò
che dice lui!

IL PREFETTO   Ma allora, scusi?

SIRELLI   Se dicono il contrario!

AGAZZI   (*irritato, risolutamente*) Da' ascolto a me, per
favore! Io non pendo, non voglio pendere finora, né
verso l'una né verso l'altro. Può aver ragione lui,
può aver ragione lei. Bisogna venirne a capo! C'è
un solo mezzo.

SIRELLI   E l'ha suggerito lui appunto!

Indica Laudisi.

IL PREFETTO   Ah sì? – E dunque! Sentiamo!

AGAZZI   Poiché ci manca ogni altra prova di fatto, l'unica che ci resti è questa: che tu, con la tua autorità,
ottenga la confessione della moglie.

IL PREFETTO   Della signora Ponza?

SIRELLI   Ma senza la presenza del marito, s'intende!

AGAZZI   Perché possa dire la verità!

SIRELLI   Se è la figlia della signora, come sembra a
noi di dover credere –

AGAZZI   – o una seconda moglie che si presta a rappresentare la parte della figlia, come vorrebbe far
credere il signor Ponza –

IL PREFETTO   – e come io credo senz'altro! – Ma sì!
Pare l'unica anche a me. Quel poverino, credete, non
desidera di meglio che convincere tutti della sua ragione. S'è mostrato con me così arrendevole! Ne sarà
più di tutti contento! E voi vi tranquillerete subito,
amici miei. – Mi faccia il favore, Centuri.

Il Centuri si alzerà.

Vada a chiamarmi il signor Ponza qua accanto. Lo
preghi a nome mio di venire qua un momento.

CENTURI   Vado subito!

S'inchinerà, e andrà via per l'uscio in fondo.

AGAZZI   Eh, se acconsentisse!

IL PREFETTO   Ma vedrai che acconsentirà subito! La faremo finita in un quarto d'ora! Qua, qua davanti a voi stessi.

AGAZZI   Come! Qua, in casa mia?

SIRELLI   Crede che vorrà portare qua la moglie?

IL PREFETTO   Lasciate fare a me! Qua stesso, sì. Perché, altrimenti, io lo so, tra voi, seguitereste a supporre che io —

AGAZZI   — ma no, per carità! che pensi!

SIRELLI   Questo, mai!

IL PREFETTO   Andate là! Sapendomi così sicuro che la ragione sta dalla parte di lui, pensereste che per mettere in tacere la cosa, trattandosi d'un pubblico funzionario... — No no; voglio che ascoltiate anche voi.

Poi, ad Agazzi:

La tua signora?

AGAZZI   È di là, con altre signore...

IL PREFETTO   Eh, voi avete stabilito qua un vero quartiere di congiura...

SCENA QUINTA
DETTI, CENTURI, *il* SIGNOR PONZA.

CENTURI   Permesso? — Ecco il signor Ponza.

IL PREFETTO   Grazie, Centuri.

Il signor Ponza si presenterà su la soglia.

Venga, venga avanti, caro Ponza.

Il signor Ponza s'inchinerà.

AGAZZI   S'accomodi, prego.

Il signor Ponza tornerà a inchinarsi e sederà.

IL PREFETTO   Lei conosce i signori... — Sirelli...

Il signor Ponza si alzerà e s'inchinerà.

AGAZZI Sì, l'ho già presentato. Mio cognato Laudisi.

Il signor Ponza s'inchinerà.

IL PREFETTO L'ho fatto chiamare, caro Ponza, per dirle che qua, coi miei amici...

S'interromperà, notando che il signor Ponza fin dalle sue prime parole avrà dato a vedere un gran turbamento e una viva agitazione.

Ha da dire qualche cosa?

PONZA Sì. Che intendo, signor Prefetto, di domandare oggi stesso il mio trasferimento.

IL PREFETTO Ma perché? Scusi, poc'anzi, lei parlava con me, così remissivo...

PONZA Ma io sono fatto segno qua, signor Prefetto, a una vessazione inaudita!

IL PREFETTO Eh via! Non esageriamo adesso!

AGAZZI (*a Ponza*) Vessazione, scusi, – intende, da parte mia?

PONZA Di tutti! E perciò me ne vado! Me ne vado, signor Prefetto, perché non posso tollerare quest'inquisizione accanita, feroce sulla mia vita privata, che finirà di compromettere, guasterà irreparabilmente un'opera di carità che mi costa tanta pena e tanti sacrifizii! – Io venero più che una madre quella povera vecchia, e mi sono veduto costretto, qua, jeri, a investirla con la più crudele violenza. Ora l'ho trovata di là, in tale stato d'avvilimento e d'agitazione –

AGAZZI (*interrompendolo, calmo*) È strano! Perché la signora, con noi, ha parlato sempre calmissima. Tutta l'agitazione, al contrario, l'abbiamo finora notata in lei, signor Ponza; e anche adesso!

PONZA Perché loro non sanno quello che mi stanno facendo soffrire!

IL PREFETTO Via, via, si calmi, caro Ponza! Che cos'è? Ci sono qua io! E lei sa con quale fiducia e quanto compatimento io abbia ascoltato le sue ragioni. Non è così?

PONZA   Mi perdoni. Lei, sì. E gliene sono grato, signor Prefetto.

IL PREFETTO   Dunque! Guardi: lei venera come una madre la sua povera suocera? Orbene, pensi che qua questi miei amici mostrano tanta curiosità di sapere, appunto perché vogliono bene alla signora anche loro.

PONZA   Ma la uccidono, signor Prefetto! E l'ho già fatto notare più d'una volta!

IL PREFETTO   Abbia pazienza. Vedrà che finiranno, appena sarà chiarito tutto. Ora stesso, guardi! Non ci vuol niente. — Lei ha il mezzo più semplice e più sicuro di levare ogni dubbio a questi signori. Non a me, perché io non ne ho.

PONZA   Ma se non vogliono credermi in nessun modo!

AGAZZI   Questo non è vero. — Quando lei venne qua, dopo la prima visita di sua suocera, a dichiararci ch'era pazza, noi tutti — con meraviglia, ma le abbiamo creduto.

Al Prefetto:

Ma subito dopo, capisci? tornò la signora —

IL PREFETTO   — sì, sì, lo so, me l'hai detto

seguiterà volgendosi al Ponza

...a dare quelle ragioni, che lei stesso cerca di tener vive in sua suocera. Bisogna che abbia pazienza, se un dubbio angoscioso nasce nell'animo di chi ascolta, dopo di lei, la povera signora. Di fronte a ciò che dice sua suocera, questi signori, ecco, non credono di poter più con sicurezza prestar fede a ciò che dice lei, caro Ponza. Dunque, è chiaro. Lei e sua suocera — via! tiratevi in disparte per un momento! — Lei è sicuro di dire la verità, come ne sono sicuro io; non può aver nulla in contrario, certo, che sia ripetuta qua, ora, dall'unica persona che possa affermarla, oltre voi due.

PONZA   E chi?

IL PREFETTO   Ma la sua signora!

PONZA   Mia moglie?

        Con forza, con sdegno:

Ah, no! Mai, signor Prefetto!

IL PREFETTO   E perché no, scusi?

PONZA   Portare mia moglie qua a dare soddisfazione a chi non vuol credermi?

IL PREFETTO   (*pronto*) A me! Scusi. — Può aver difficoltà?

PONZA   Ma signor Prefetto... no! mia moglie, no! Lasciamo stare mia moglie! Si può ben credere a me!

IL PREFETTO   Eh no, guardi, comincia a parere anche a me, allora, che lei voglia far di tutto per non essere creduto!

AGAZZI   Tanto più che ha cercato anche d'impedire in tutti i modi — anche a costo d'un doppio sgarbo a mia moglie e alla mia figliuola — che la suocera venisse qua a parlare.

PONZA   (*prorompendo, esasperato*) Ma che vogliono loro da me? In nome di Dio! Non basta quella disgraziata? vogliono qua anche mia moglie? Signor Prefetto, io non posso sopportare questa violenza! Mia moglie non esce di casa mia! Io non la porto ai piedi di nessuno! Mi basta che mi creda lei! E del resto vado a far subito l'istanza per andar via di qua!

        Si alzerà.

IL PREFETTO   (*battendo un pugno sulla scrivania*) Aspetti! Prima di tutto io non tollero, signor Ponza, che lei assuma codesto tono davanti a un suo superiore e a me, che le ho parlato finora con tanta cortesia e tanta deferenza. In secondo luogo le ripeto che dà ormai da pensare anche a me codesta sua ostinazione

nel rifiutare una prova che le domando io e non
altri, nel suo stesso interesse, e in cui non vedo nulla
di male! – Possiamo bene, io e il mio collega, ricevere una signora... – o anche, se lei vuole, venire a casa
sua...

PONZA Lei dunque mi obbliga?

IL PREFETTO Le ripeto che glielo domando per il suo
bene. Potrei anche pretenderlo come suo superiore!

PONZA Sta bene. Sta bene. Quand'è così, porterò qua
mia moglie, pur di finirla! Ma chi mi garantisce che
quella poveretta non la veda?

IL PREFETTO Ah già... perché sta qui accanto...

AGAZZI (*subito*) Potremmo andar noi in casa della
signora.

PONZA Ma no! Io lo dico per loro. Che non mi si
faccia un'altra sorpresa che avrebbe conseguenze spa-
ventevoli!

AGAZZI Stia pur tranquillo, quanto a noi!

IL PREFETTO O se no, ecco, a suo comodo, potrebbe
condurre la signora in Prefettura.

PONZA No, no – subito, qua... subito... Starò io, di là,
a guardia di lei. Vado subito, signor Prefetto; e sarà
finita, sarà finita!

> *Uscirà   sulle furie per l'uscio in fondo.*

SCENA SESTA
DETTI, *meno il* SIGNOR PONZA.

IL PREFETTO Vi confesso che non m'aspettavo da parte
sua questa opposizione.

AGAZZI E vedrai che andrà a imporre alla moglie di
dire ciò che vuol lui!

IL PREFETTO Ah no! Per questo state tranquilli. In-
terrogherò io la signora!

SIRELLI Questa esasperazione continua, scusi!

IL PREFETTO È la prima volta – che! che! – è la pri-

ma volta che lo vedo così. — Forse l'idea di portare
qua la moglie —

SIRELLI — di scarcerarla! —

IL PREFETTO — oh, questo — che la tenga come in carcere — si può anche spiegare senza ricorrere alla sup-
posizione che sia pazzo.

SIRELLI Perdoni, signor Prefetto, lei non l'ha ancora
sentita, questa povera signora.

AGAZZI Già! Dice che la tiene così per paura della suocera.

IL PREFETTO Ma anche se non fosse per questo: potrebbe esserne geloso; e basta.

SIRELLI Fino al punto, scusi, di non tenere neppure
una donna di servizio? Costringe la moglie a fare in
casa tutto, da sé!

AGAZZI E va a farsi lui la spesa, ogni mattina!

CENTURI Sissignore, è vero: l'ho visto io! Se la porta
in casa con un ragazzotto —

SIRELLI — che fa restare sempre fuori della porta!

IL PREFETTO Oh Dio, signori: l'ha deplorato lui stesso, parlandomene.

LAUDISI Servizio d'informazione, inappuntabile!

IL PREFETTO Lo fa per risparmio, Laudisi! Deve tener
due case...

SIRELLI Ma no, non diciamo per questo, noi! Scusi,
signor Prefetto, crede lei che una seconda moglie si
sobbarcherebbe a tanto —

AGAZZI (*incalzando*) — ai più umili servizi di casa! —

SIRELLI (*seguitando*) — per una che fu suocera di
suo marito, e che sarebbe un'estranea per lei?

AGAZZI Via! Via! Non ti par troppo?

IL PREFETTO Troppo, sì —

LAUDISI (*interrompendo*) — per una seconda moglie
qualunque!

IL PREFETTO (*subito*) Ammettiamolo. Troppo, sì. —
Ma anche questo però, scusate — se non con la ge-
nerosità — può spiegarsi benissimo ancora con la ge-

losia. E che sia geloso – pazzo o non pazzo – mi pare
che non si possa mettere neppure in discussione.

*Si udrà a questo punto dal salotto un clamore di
voci confuse.*

AGAZZI   Oh! Che avviene di là?

SCENA SETTIMA
DETTI, *la* SIGNORA AMALIA.

AMALIA   (*entrerà di furia, costernatissima, dall'uscio a
sinistra, annunziando*) La signora Frola! La signora
Frola è qua!

AGAZZI   No! perdio, chi l'ha chiamata?

AMALIA   Nessuno! È venuta da sé!

IL PREFETTO   No! Per carità! Ora, no! La faccia andar via, signora!

AGAZZI   Subito via! Non la fate entrare! Bisogna impedirglielo a ogni costo! Se la trovasse qua, gli sembrerebbe davvero un agguato!

SCENA OTTAVA
DETTI, *la* SIGNORA FROLA, TUTTI GLI ALTRI.

*La signora Frola s'introdurrà tremante, piangente,
supplicante, con un fazzoletto in mano, in mezzo alla ressa degli altri, tutti esagitati.*

SIGNORA FROLA   Signori miei, per pietà! per pietà! Lo
dica lei a tutti, signor Consigliere!

AGAZZI   (*facendosi avanti, irritatissimo*) Io le dico, signora, di ritirarsi subito! Perché lei, per ora, non
può stare qua!

SIGNORA FROLA   (*smarrita*) Perché? Perché?

Alla signora Amalia:

Mi rivolgo a lei, mia buona signora...

AMALIA   Ma guardi... guardi, c'è lì il Prefetto...

SIGNORA FROLA Oh! lei, signor Prefetto! Per pietà! Volevo venire da lei!

IL PREFETTO No, abbia pazienza, signora! Per ora io non posso darle ascolto. Bisogna che lei se ne vada! se ne vada via subito di qua!

SIGNORA FROLA Sì, me n'andrò! Me n'andrò oggi stesso! Me ne partirò, signor Prefetto! per sempre me ne partirò!

AGAZZI Ma no, signora! Abbia la bontà di ritirarsi per un momento nel suo quartierino qua accanto! Mi faccia questa grazia! Poi parlerà col signor Prefetto!

SIGNORA FROLA Ma perché? Che cos'è? Che cos'è?

AGAZZI (*perdendo la pazienza*) Sta per tornare qua suo genero: ecco! ha capito?

SIGNORA FROLA Ah! Sì? E allora, sì... sì, mi ritiro... mi ritiro subito! Volevo dir loro questo soltanto: che per pietà, la finiscano! Loro credono di farmi bene e mi fanno tanto male! Io sarò costretta ad andarmene, se loro seguiteranno a far così; a partirmene oggi stesso, perché lui sia lasciato in pace! – Ma che vogliono, che vogliono ora qua da lui? Che deve venire a fare qua lui? – Oh, signor Prefetto!

IL PREFETTO Niente, signora, stia tranquilla! stia tranquilla, e se ne vada, per piacere!

AMALIA Via, signora, sì! sia buona!

SIGNORA FROLA Ah Dio, signora mia, loro mi priveranno dell'unico bene, dell'unico conforto che mi restava: vederla almeno da lontano la mia figliuola!

Si metterà a piangere.

IL PREFETTO Ma chi glielo dice? Lei non ha bisogno di partirsene! La invitiamo a ritirarsi ora per un momento. Stia tranquilla!

SIGNORA FROLA Ma io sono in pensiero per lui! per lui, signor Prefetto! sono venuta qua a pregare tutti per lui; non per me!

IL PREFETTO   Sì, va bene! E lei può star tranquilla anche per lui, gliel'assicuro io. Vedrà che ora si accomoderà ogni cosa.

SIGNORA FROLA   E come? Li vedo qua tutti accaniti addosso a lui!

IL PREFETTO   No, signora! Non è vero! Ci sono qua io per lui! Stia tranquilla!

SIGNORA FROLA   Ah! Grazie! Vuol dire che lei ha compreso...

IL PREFETTO   Sì, sì, signora, io ho compreso.

SIGNORA FROLA   L'ho ripetuto tante volte a tutti questi signori: è una disgrazia già superata, su cui non bisogna più ritornare.

IL PREFETTO   Sì, va bene, signora... Se le dico che io ho compreso!

SIGNORA FROLA   Siamo contente di vivere così; la mia figliuola è contenta. Dunque... – Ci pensi lei, ci pensi lei... perché, se no, non mi resta altro che andarmene, proprio! e non vederla più, neanche così da lontano... Lo lascino in pace, per carità!

A questo punto, tra la ressa si farà un movimento; tutti faranno cenni; alcuni guarderanno verso l'uscio; qualche voce repressa si farà sentire.

VOCI   Oh Dio... Eccola, eccola!

SIGNORA FROLA   (*notando lo sgomento, lo scompiglio, gemerà perplessa, tremante*) Che cos'è? Che cos'è?

SCENA NONA
DETTI, *la* SIGNORA PONZA, *poi il* SIGNOR PONZA.

Tutti si scosteranno da una parte e dall'altra per dar passo alla signora Ponza che si farà avanti rigida, in gramaglie, col volto nascosto da un fitto velo nero, impenetrabile.

SIGNORA FROLA   (*cacciando un grido straziante, di frenetica gioja*) Ah! Lina... Lina... Lina...

E si precipiterà e s'avvinghierà alla donna velata,
con l'arsura d'una madre che da anni e anni non
abbraccia più la sua figliuola. Ma contemporanea-
mente, dall'interno, si udranno le grida del signor
Ponza che subito dopo si precipiterà sulla scena.

PONZA Giulia!... Giulia!... Giulia!...

La signora Ponza, alle grida di lui, s'irrigidirà tra
le braccia della signora Frola che la cingono. Il si-
gnor Ponza, sopravvenendo, s'accorgerà subito del-
la suocera così perdutamente abbracciata alla mo-
glie e inveirà furente:

Ah! L'avevo detto io! Si sono approfittati così, vi-
gliaccamente, della mia buona fede?

SIGNORA PONZA (*volgendo il capo velato, quasi con*
austera solennità) Non temete! Non temete! Andate via.

PONZA (*piano, amorevolmente, alla signora Frola*) Andiamo, sì, andiamo...

SIGNORA FROLA (*che si sarà staccata da sé, tutta tre-*
mante, umile, dall'abbraccio, farà eco subito, premu-
rosa, a lui) Sì, sì... andiamo, caro, andiamo...

E tutti e due abbracciati, carezzandosi a vicenda,
tra due diversi pianti, si ritireranno bisbigliandosi
tra loro parole affettuose. Silenzio. Dopo aver se-
guito con gli occhi fino all'ultimo i due, tutti si ri-
volgeranno, ora, sbigottiti e commossi, alla signo-
ra velata.

SIGNORA PONZA (*dopo averli guardati attraverso il ve-*
lo, dirà con solennità cupa) Che altro possono volere da me, dopo questo, lor signori? Qui c'è una
sventura, come vedono, che deve restar nascosta, perché solo così può valere il rimedio che la pietà le
ha prestato.

IL PREFETTO (*commosso*) Ma noi vogliamo rispettare

la pietà, signora. Vorremmo però che lei ci dicesse –
SIGNORA PONZA (*con un parlare lento e spiccato*) –
che cosa? la verità? è solo questa: che io sono, sì,
la figlia della signora Frola –
TUTTI (*con un sospiro di soddisfazione*) – ah!
SIGNORA PONZA (*subito c.s.*) – e la seconda moglie
del signor Ponza –
TUTTI (*stupiti e delusi, sommessamente*) – oh! E
come?
SIGNORA PONZA (*subito c.s.*) – sì; e per me nessuna!
nessuna!
IL PREFETTO   Ah, no, per sé, lei, signora: sarà l'una
o l'altra!
SIGNORA PONZA   Nossignori. Per me, io sono colei che
mi si crede.

*Guarderà attraverso il velo, tutti, per un istante; e
si ritirerà. Silenzio.*

LAUDISI   Ed ecco, o signori, come parla la verità!

Volgerà attorno uno sguardo di sfida derisoria.

Siete contenti?

Scoppierà a ridere.

Ah! ah! ah! ah!

Tela

Appendice

IL «LIOLÀ» DI GRAMSCI

A cinque mesi di distanza dalla prima romana, *Liolà* va in scena al Teatro Alfieri di Torino. Una sola rappresentazione: gli attacchi violentissimi del giornale cattolico «Il Momento» indussero infatti a togliere la commedia dal cartellone. Fra gli spettatori il giovane Antonio Gramsci, critico teatrale dell'«Avanti!», che stende invece un giudizio entusiastico sulla *pièce*, ricollegandola al furore dionisiaco della cultura pagana del mondo classico.

«Liolà» di Pirandello all'Alfieri. I tre atti nuovi di Luigi Pirandello non hanno avuto successo all'Alfieri. Non hanno avuto almeno quel successo che è necessario perché una commedia diventi redditizia. Ma *Liolà* ciò nonostante rimane una bella commedia, forse la migliore delle commedie che il teatro dialettale siciliano sia riuscito a creare. L'insuccesso del terzo atto, che ha determinato il ritiro momentaneo del lavoro dalle scene, è dovuto a ragioni estrinseche: *Liolà* non finisce secondo gli schemi tradizionali, con una buona coltellata, o con un matrimonio, e perciò non è stata accolta con entusiasmo; ma non poteva finire che così come è, e pertanto finirà con l'imporsi.

Liolà è il prodotto migliore dell'energia letteraria di Luigi Pirandello. In esso il Pirandello è riuscito a spogliarsi delle sue abitudini retoriche. Il Pirandello è un umorista per partito preso, ciò che vuol dire che troppo spesso la prima intuizione dei suoi lavori viene a sommergersi in una palude retorica di moralità inconsciamente predicatoria, e di molta verbosità inutile. Anche *Liolà* è passato per questo stadio, e allora esso si chiamava Mattia Pascal, ed era il protagonista di un lungo romanzo ironico intitolato appunto: *Il fu Mattia Pascal*, pubblicato verso il 1906 dalla «Nuova Antologia» e poi ristampato dal Treves. In seguito il Pirandello ha ripensato alla sua creazione, e ne è venuto fuori *Liolà*; l'intreccio rimane lo stesso, ma il fantasma artistico è stato completamente rinnovato: esso è diventato omogeneo, è diventato pura rappresentazione, libero completamente di tutto quel bagaglio moraleggiante e artatamente umoristico che lo aduggiava. *Liolà* è una farsa, ma nel senso migliore della parola, una farsa che si riattacca ai drammi satireschi della Grecia antica, e che ha il suo corrispondente pittorico nell'arte figurativa vascolare del mondo ellenistico. C'è da pensare che l'arte dialettale così come è espressa in questi tre atti del Pirandello, si riallacci con l'antica tradizione artistica popolare della Magna Grecia, coi suoi fliaci, coi suoi idilli pastorali, con la sua vita dei campi piena di furore dionisiaco, di cui tanta parte è pure rimasta nella tradizione paesana della Sicilia odierna, là dove questa tradizione si è conservata più viva e più sincera. È una vita ingenua, rudemente sincera, in cui pare palpitino ancora i cortici delle querce e le acque delle fontane: è una efflorescenza di paganesimo naturalistico, per il quale la vita, tutta la vita è bella, il lavoro è un'opera lieta, e la fecondità irresistibile prorompe da tutta la materia organica.

Mattia Pascal, il melanconico essere moderno, dall'occhio strabico, l'osservatore della vita volta a volta cinico, amaro, melanconico, sentimentale, vi diventa Liolà, l'uomo della vita pagana, pieno di robustezza morale e fisica, perché uomo, perché se stesso, semplice umanità vigorosa. E la trama si rinnova, diventa vita, diventa verità; diventa anche semplice, mentre nella prima parte del romanzo primitivo era contorta e inefficace. Zio Simone smania perché vuole avere un erede, che giustifichi il tenace lavoro suo che ha accumulato una ricchezza: è vecchio, e incolpa la sterilità della moglie, che non ha capito che Simone vuole un erede purchessia, vuole un bambino a tutti i costi, ed è disposto a fingere di essere egli il padre. Una sua nipote, che ha capito gli umori del vecchio, ed è stata resa madre da Liolà, propone a Simone di diventare egli il padre del nascituro, gli propone di farsi credere egli il padre, e il vecchio accetta. La moglie legittima viene percossa, viene umiliata, perché non ha fatto altrettanto. Per diventare la padrona, fa altrettanto. Zio Simone ha un figlio legale. Ma è Liolà che dà vita a queste nuove vite, e dà vita alla commedia; Liolà che ha sempre la gola pièna di canti, che entra sempre nella scena accompagnato da un coro bacchico di donne, accompagnato dai suoi tre altri figlioletti naturali che sono come dei satiretti che ubbidiscono all'impulso della danza e del canto, che sono impastati di suono e di danza come le creature primitive dei drammi satireschi. Liolà voleva sposare Tuzza, la nipote di Simone, prima che si fosse imbastito il trucco dell'erede, ora che l'erede legale c'è Tuzza vorrebbe essere sposata, ma Liolà non vuole, non vuole rinunziare ai suoi canti, alla danza dei suoi figliuoli, alla vita dionisiaca del lavoro lieto: e il pugnale di Tuzza è stroncato dalle sue mani che però non sanno l'odio e la vendetta. Ma per il pubblico ci voleva il sangue o il matrimonio, e perciò il pubblico non ha applaudito.

4 aprile 1917

(Antonio Gramsci, *Cronache teatrali*, in *Letteratura e vita nazionale*, Einaudi, Torino 1953[3], pp. 283-284).

IL «LIOLÀ» DI SIMONI

Non solo il pubblico ma anche parte della critica confessò il proprio disagio di fronte a *Liolà*, allestito da Angelo Musco nel chiuso dialetto agrigentino, spesso di difficile comprensione. Non mancò tuttavia il consenso dei critici più intelligenti e preparati. Sul «Corriere della Sera» del 14 gennaio 1917 Renato Simoni pubblicò la recensione qui riportata, intuendo felicemente e immediatamente il legame che salda la commedia ai grandi archetipi del teatro italiano del Rinascimento.

In questa commedia di Pirandello, presentata al Teatro Diana, c'è la franca spregiudicatezza d'una novella del Boccaccio; e c'è insieme qua e là una malizia acre e malinconica; nel riso balena talora un'ira. Contro chi? Contro la donna, in genere, che in *Liolà* ha la parte peggiore. Non c'è da meravigliarsene. Una buona metà del teatro di tutti i tempi è antifemminista. Il teatro moderno lo è meno; ma quello antico lo fu quasi sempre. La commedia non si racconta facilmente. Neli Schillaci, detto Liolà, è un bel tipo. Passa per la vita cantando, improvvisando versi, spargendo motti salaci, ridendo al sole, alla terra, alle donne. Libero e incostante come il vento, egli va di qua e di là secondo l'estro giocondo lo porta. Le ragazze e le spose gli piacciono tutte; ed egli piace alle ragazze e alle spose. Ma non per combinare qualche cosa di serio, come un matrimonio; solamente per amarle un poco, in una subìta allegra mattia, in una gioia di vivere spensierata e fremente. Di tanto in tanto questi amori hanno qualche conseguenza; ed allora non c'è, come di solito, una ragazza-madre, abbandonata dal seduttore con un figlio tra le braccia; c'è Liolà, reso padre e piantato dalla collaboratrice; c'è Liolà che si riempie la casa di bimbi illegittimi che saltabeccano, schiamazzano, ballano intorno a lui, perché Liolà è la gioia di tutti, anche dei suoi figlioletti.

Ora avviene che un giorno, per colpa di Liolà, una ragazza, Tuzza, si trovi alla vigilia di aumentare la popolazione del regno d'Italia. Liolà ha uno scrupolo; capisce bene che il giorno in cui sposerà, le sue canzoni gli si spegneranno nel cuore e la vita perderà per lui ogni profumo; eppure, da quel buon galantuomo che è, chiede la mano di Tuzza. E Tuzza, no. Tuzza ha le sue idee. Bisogna sapere che nelle vicinanze c'è un vecchio, Don Simuni, pieno di denaro come un ovo, padrone di campi, di case, di cantine cospicue d'olio e di vino, di granai colmi d'ogni ben di Dio. Ora Don Simuni ha un cruccio. A chi lascerà, crepando tutto il suo denaro? Non ha figli. Ha sposato una volta invano; poi ha sposato una seconda moglie, Donna Mita, e ancora, dopo quattro anni aspetta un erede. Sfido: ha sessant'anni sulle spalle! Ma egli non si rassegna: gli secca, oltre al resto, di passare davanti ai vicini per un buono a nulla.

Ora Tuzza è nipote di Don Simuni. Gli si butta ai piedi, gli conta la disgrazia che gli è toccata, e lo induce a fingere d'essere lui il padre del figlio di Liolà. Salverà così il suo... onore maschile e avrà un figlio. Il vecchio acconsente, Liolà è offeso; crede che Don Simuni sia stato ingannato da Tuzza, e che costei si sia, per illuderlo di più, concessa a lui. Allora si vendica, suggerisce alla moglie di Don Simuni, che è fuori di sé per il tradimento del marito, di fare anche lei quello che ha fatto Tuzza, e di procurare anch'ella a Don Simuni un figlio accettando le cordialità di lui, Liolà. E così avviene. Donna Mita è madre. Don Simuni crede a questa sua paternità. Tuzza resta delusa e beffata. Vorrebbe ora riattaccare con Liolà, ma Liolà fa una piroetta, intona una canzoncina e poi, conclude: «Il figlio, quello sì, me lo piglio io; tanto ci sono abituato. Ma sposare? Questo no!».

Così questo Don Giovanni senza perfidia, anzi disposto a impalmare legittimamente le sue vittime, passa tra donne astute, avide di predominio, di denaro, disposte a servirsi della maternità per far trionfare i loro egoismi e per compiere le loro vendette.

La commedia pur rimescolando senza interruzione questa materia ostetrica, e rigirandosi negli episodi e nel dialogo quasi esclusivamente intorno alla fabbricazione dei figli, ha una lievità di tocco veramente pregevole; e il riso che provoca non è grasso, perché non nasce da una burla volgare, ma da ingegnose combinazioni, da alternative graziose, da parallelismi sagacemente ottenuti, e perché Liolà, con una certa sua poesia rusticana, salva tutto, occupando tutto il primo piano, nascondendo dietro di sé le due donne, che sarebbero ripugnanti, se le vedessimo bene: una perché è calcolatrice e cinica, l'altra perché è adultera senza passione, con il solo scopo di restare padrona del suo marito barbagio e vecchione. Questa commedia ride, ma non è gioconda; è allegra con cattiveria, a spese di tutti; un po' di Liolà, che ha tante donne e neanche un poco d'amore; un po' di Don Simuni, che quando vuol compiere un'opera di pietà, la compie sembrando un imbecille, e quando si intenerisce per la sua paternità è ancora più imbecille, e più goffo; a spese anche delle due donne, ché quando una ride, l'altra piange. E la commedia, alla fine lascia a bocca amara tutti. Ma è piena di varietà e di grazia e guizza via, scarna ma colorita, interessando, divertendo e facendo sempre sentire la presenza d'un ingegno creatore che ha quasi la tristezza dell'opera che crea, e una superiore e ironica pietà dei personaggi che egli fa ridere.

Liolà fu deliziosamente recitata da tutta la Compagnia: in special modo dal Musco, che interpretò la figura del protagonista con una misura, una intensità di espressione, una gaiezza fresca e serena, ma piena di pensosi sottintesi; sicché si fece applaudire più volte a scena aperta. E con lui va ricordata per la vivacità sonora e la verità popolaresca la Morabito. Il Pandolfini assai efficace come sempre. Molto bene Giulia e Iole Campagna, la Libassi, l'Anselmi e la Longo.

Il pubblico interruppe con applausi due volte il primo atto e una il secondo. Due chiamate dopo il primo atto, tre dopo il secondo, due dopo il terzo.

14 gennaio 1917

(Renato Simoni, *Trent'anni di cronaca drammatica*, SET, Torino 1951-1960, vol. I, pp. 290-291).

ANGELO MUSCO VISTO DA GRAMSCI

Angelo Musco è il grande interprete dialettale di *Liolà* e in generale di tutto il primo teatro pirandelliano scritto in siciliano. Attore geniale ma spesso anche disponibile a concessioni smaccatamente farsesche, in omaggio al gusto più corrivo di un pubblico tradizionale. Nel passo che segue, pubblicato al solito sull'«Avanti!», nel 1918, Gramsci mostra di apprezzarne i meriti, pur non dimenticando di sottolinearne alcuni limiti. Assai notevole la capacità gramsciana di cogliere la dimensione gestuale, mimica, del *linguaggio* dell'attore, senza troppo appoggio nel dato letterario, verbale, della comunicazione teatrale.

Angelo Musco. E.A. Berta ha fatto tradurre per Angelo Musco, dalla lingua letteraria in dialetto siciliano, una commedia inedita. L'omaggio non è dei più significativi, data la smania teatrale dello scrittore che lavora (!) perfino per le marionette, ma ha pure il suo valore. Angelo Musco è ormai *qualcuno* nella storia del teatro italiano, ed è riuscito a imporre il teatro dialettale della sua regione.

Cinquant'anni di vita unitaria sono stati in gran parte dedicati dai nostri uomini politici a creare l'apparenza di una uniformità *italiana*: le regioni avrebbero dovuto sparire nella nazione, i dialetti nella lingua letteraria. La Sicilia è la regione che ha più *attivamente* resistito a questa manomissione della storia e della libertà. La Sicilia ha dimostrato in numerose occasioni di vivere una vita a carattere nazionale proprio, più che regionale: quando la storia del Risorgimento e di questi ultimi sessant'anni sarà scritta per la verità e l'esattezza, più che il desiderio di suscitare artificialmente stati d'animo arbitrari, per la volontà di far credere che esiste ciò che solo si vorrebbe esistesse, molti episodi della storia interna appariranno sotto altra luce, e la causa della unità effettiva italiana (in quanto è necessità economica reale) se ne avvantaggerà. La verità è che la Sicilia conserva una sua indipendenza spirituale, e questa si rivela più spontanea e forte che mai nel teatro. Esso è diventato gran parte del teatro nazionale, ha acquistato una popolarità nel settentrione come nel centro, che ne denotano la vitalità e l'aderenza a un costume diffuso e fortemente radicato. È vita, è realtà, è linguaggio che coglie tutti gli aspetti dell'attività sociale, che mette in rilievo un carattere in tutto il suo multiforme atteggiarsi, lo scolpisce drammaticamente o comicamente. Avrà un influsso notevole nel teatro letterario; servirà a sveltirlo, contribuirà, con la virtù efficace dell'esempio, a far decadere questa produzione provvisoria del non ingegno italiano, produzione di uomini togati, falsa, pretenziosa, priva di ogni brivido di ricerca, di ogni possibilità di miglioramento.

Luigi Pirandello, Nino Martoglio specialmente, hanno dato al teatro siciliano commedie che hanno un carattere di vitalità. Ma certo la fortuna è dovuta per molta parte ad Angelo Musco. Attore d'istinto, il Musco si presenta con tutte le disuguaglianze e le impulsività di un uomo ricco di vita interiore, che in ogni interpretazione erompe selvaggiamente in manifestazioni di una plasticità sorprendente. È vita ingenua, sincera, che trova nel movimento plastico l'espressione più adeguata. Il teatro ritorna alle sue originarie scaturigini: l'attore è veramente interprete ricreatore dell'opera d'arte; questa si confonde col suo spirito, si scompone nei suoi elementi primordiali e si ricompone in una sintesi di movimenti, di danza, elementare, di atteggiamento plastico; perde della sua letteratura verbale e ritorna vita fisica, vita di espressione integrale: tutto il corpo diventa lingua, tutto il corpo parla. Certo l'essere dialettale, l'adagiarsi nelle manifestazioni umane più vicine all'originarietà umana, dànno questo carattere specifico al teatro siciliano, dànno tutte queste possibilità espressive ad Angelo Musco. Ma è la quistione solita dell'uovo e della gallina: Musco ha il teatro che si merita solo perché se lo merita, perché lo comprende, lo rivive. E il suo merito non è sempre uguale infatti: egli ha qualche volta il torto di sforzare interpretazioni impossibili, perché il lavoro è vuoto di ogni espressività. Ma diventa grande quando l'autore dà almeno uno spunto artistico, che dia possibilità di continuazione, di integrazioni. Basta ricordare Angelo Musco in *Liolà* di Luigi Pirandello, una delle più belle commedie moderne che la sguaiata critica pseudomoraleggiante ha fatto quasi del tutto ritirare dal repertorio.

29 marzo 1918

(Antonio Gramsci, *Cronache teatrali*, cit., pp. 321-322).

AVVERTENZA ALL'EDIZIONE BILINGUE DI «LIOLÀ»

Non pochi critici, di fronte alla messinscena di *Liolà* di Angelo Musco, denunciarono l'imbarazzo di non essere stati messi in condizione di *capire* per la difficoltà linguistica del testo in agrigentino. Pirandello si rese conto del problema e progettò immediatamente una pubblicazione della commedia, «testo siciliano e traduzione a fronte, in lingua italiana, per renderlo meglio comprensibile al pubblico», come scriveva al figlio Stefano il 25 novembre 1916. L'edizione bilingue uscì nel maggio del '17 presso l'editore Formìggini, introdotta dalla preziosa *Avvertenza* che segue.

Questa commedia, rappresentata per la prima volta la sera del 4 novembre 1916 dalla *Compagnia comica siciliana* di Angelo Musco al teatro *Argentina* di Roma, è scritta nella parlata di Girgenti che, tra le non poche altre del dialetto siciliano, è incontestabilmente la più pura, la più dolce, la più ricca di suoni, per certe sue particolarità fonetiche, che forse più d'ogni altra l'avvicinano alla lingua italiana.

Non per tanto, la maggioranza degli spettatori, che pure con facilità intende gli altri lavori del nuovo teatro siciliano, stentò molto (com'ebbe a rilevare quasi unanimamente la critica teatrale dei giornali romani) a intender questo. La ragione è semplicissima. Quasi tutti gli altri lavori presentano personaggi, usi e costumi *borghesi*, e sono scritti, o recitati, in quell'ibrido linguaggio, tra il dialetto e la lingua, che è il così detto *dialetto borghese*, siciliano qui, in altri lavori del genere, piemontese o lombardo, veneto o napoletano: *dialetto borghese* che, con qualche goffaggine, appena appena arrotondato, diventa lingua italiana, cioè quella certa lingua italiana parlata comunemente, e forse non soltanto dagli incolti, in Italia. *Liolà*, commedia campestre, fu recitata, per espressa volontà dell'autore, così com'è scritta, in pretto vernacolo, quale si conveniva ai personaggi, tutti contadini della campagna agrigentina.

Il che vorrebbe dire che, se i comici siciliani recitassero sempre e strettamente nel loro dialetto puro, non sarebbero più compresi, se non con molto stento, dai non siciliani.

Si deve perciò condannare a morte il nuovo teatro siciliano, appena osi varcare i confini dell'isola? Qualche critico ha pronunziato questa sentenza; ma tuttavia il pubblico seguita ad accorrere in folla alle recite della *Compagnia comica siciliana* del Musco.

Qui, badiamo, non si discute d'arte, ma solo del linguaggio come mezzo di comunicazione. L'opera di creazione, infatti, l'attività fantastica che lo scrittore deve fornire, sia che adoperi la lingua, sia che adoperi il dialetto, è sempre la stessa. E perché allora uno scrittore, se quest'opera dell'attività creatrice è pur la stessa, si serve del dialetto invece che della lingua, cioè d'un mezzo di comunicazione molto più ristretto? Non per ragioni d'arte, evidentemente; ma per altre varie ragioni che restringono tutta la letteratura dialettale come conoscenza, giacché sono appunto ragioni di conoscenza, della parola o delle cose rappresentate. O il poeta non ha la conoscenza del mezzo di comunicazione più esteso, che sarebbe la lingua; oppure, avendone la conoscenza, stima che non saprebbe adoperarla con quella vivezza, con quella nativa spontanea che è condizione prima e imprescindibile dell'arte; o la natura dei suoi sentimenti e delle sue immagini è talmente radicata nella regione di cui egli si fa voce, che gli parrebbe disadatto o incoerente un altro mezzo di comunicazione che non fosse l'espressione dialettale; o la cosa da rappresentare è talmente locale, che non potrebbe trovare espressione oltre i limiti della conoscenza della cosa stessa. Una letteratura dialettale, in somma, è fatta per rimanere entro i confini del dialetto. Se ne esce, potrà eser gustata soltanto da coloro che di quel dato dialetto han conoscenza e conoscenza di quei particolari usi, di quei particolari costumi, in una parola di quella particolar vita che il dialetto esprime.

Luigi Settembrini, come qualche altro critico volle generosamente ricordare, faceva obbligo agli Italiani di conoscer questo dialetto siciliano, che fu veramente ed è lingua più che dialetto, non solo per la sua antichissima tradizione letteraria, ma anche per il suo vario e complesso stampo sintattico, ricco di sottilissimi nessi, come per copia e colorita efficacia di vocaboli. Aspettando che gl'Italiani acquistino (se mai vorranno) questa conoscenza, l'autore del *Liolà* presenta qui, accanto al testo dialettale, la traduzione della commedia in una lingua italiana che vuol serbare fin dove è possibile un certo colore, un certo sapore del vernacolo nativo.

(ripubblicata in *Maschere Nude*, «I Meridiani», cit., vol. I, pp. 836-837).

«COSÌ È (SE VI PARE)»: LETTERE FRA PIRANDELLO, RUGGERI E TALLI

Finito di comporre il *Così è*, Pirandello pensa a una messinscena ad opera di Ruggero Ruggeri, uno degli attori più prestigiosi di quegli anni. Ma Ruggeri (che sarà poi l'interprete ideale di tanti altri testi pirandelliani, dal *Piacere dell'onestà* all'*Enrico IV*) rifiuta cortesemente la proposta del *Così è*, che non ha in fondo una figura protagonistica degna di lui (dal momento che Laudisi non è sostanzialmente personaggio dominante), e che resta essenzialmente commedia "corale". Occorre insomma non già una tipica compagnia capocomicale, come era quella di Ruggeri, fondata sulla presenza esaustiva o quasi del primo attore e della prima attrice, bensì una compagnia "di complesso", come è quella diretta da Virgilio Talli. Riportiamo qui di seguito i momenti principali dello scambio di lettere di Pirandello fra Ruggeri e Talli.

«Illustre Signor Pirandello, ho letto il suo lavoro, e con mio vero dispiacere non posso darle la risposta che avrei tanto desiderato. La mia Compagnia è del tutto inadatta alla sua commedia. La quale esige una interpretazione *complessiva* di prim'ordine. Tutti i personaggi vi hanno importanza grande e presentano serie difficoltà d'interpretazione: ora la mia Compagnia così com'è costituita non saprebbe certo giovare al suo lavoro, ché essa, specialmente dal lato maschile – che per le attuali condizioni è ridotto a numero esiguo e a valore assai limitato – non risponde alla necessità di esecuzioni di complesso. L'elemento migliore della Compagnia, la

Signorina Vergani, non vi avrebbe parte, e io stesso non credo potrei dare grande aiuto al suo lavoro nel personaggio di Laudisi. In tali condizioni mi vedo costretto a rinunciare al grande piacere che mi ripromettevo di essere interprete di un lavoro che porta il Suo nome, e Le ne esprimo tutto il mio disappunto. Con alta stima dev. R. Ruggeri.»

(lettera di Ruggeri a Pirandello del 24 aprile 1917, proprietà Eredi Stefano Pirandello, pubblicata in *Maschere Nude*, «I Meridiani», cit., vol. I, p. 421).

«Illustre Commendatore, ho pronta per la rappresentazione una commedia in tre atti, o piuttosto, una *parabola*, veramente originale, nuova nella concezione e nella condotta, audacissima, e destinata – per quanto alla lettura se ne può giudicare – a sicurissimo effetto per l'intenso e non comune interesse che provoca subito, fin dal primo atto e mantiene, man mano accrescendolo, negli altri due. La commedia s'intitola: *Così è (se vi pare)*, ed è fondata in modo strano e insolito sul valore della realtà. Così è (se vi pare): il che vuol dire che, se non vi pare, non è più così... C'è però un *ma*, un *ma* doloroso – e glielo dico subito: non vi avrebbe parte, purtroppo, la prima donna Maria Melato – tranne che la grande elettissima attrice, per una graziosa deferenza a uno scrittore... non più di primo pelo come me (e di cui Le resterei infinitamente grato) – non volesse proferire come ella sola sa, e come nella mia intenzione andrebbero proferite, le ultime parole della commedia, ov'è racchiuso tutto il senso profondo di essa: parole messe in bocca a una donna dal volto nascosto da un velo impenetrabile: *vivissima* donna, nel dramma, e pur simbolo della verità.»

(lettera di Pirandello a Talli del 3 maggio 1917, pubblicata in

Sabatino Lopez, *Dal carteggio di Virgilio Talli*, raccolto da Egi-
sto Ruggero, Treves, Milano 1931, p. 138).

«Eg. Sig. Pirandello, ho letto *Così è* con vivo piacere.
Ho finalmente trovato uno scrittore italiano che dice
qualche cosa di suo! – Rare volte un dialogo come quello di questo suo lavoro mi ha sollevato lo spirito e mi ha
rivelato nel suo artefice singolari attitudini a scrivere
per il teatro. Il lato, dirò così, filosofico della parabola
è vivo e palese... molte virtù inconsuete s'impongono
all'attenzione nei suoi tre atti. Io temo soltanto che la
loro acutezza psicologica, la linea caratteristica e sempre umana dei personaggi, la nessuna convenzionalità
di procedimento, la semplicità del linguaggio, non basteranno a giustificare agli occhi del pubblico il troppo
prolungarsi dell'ansietà scrutatrice sulla quale s'imper-
nia l'azione, e a far parere verosimile, appunto per il
suo dilungarsi, il dramma di famiglia del Ponza. Non
pretendo dar giudizi, m'intenda bene; parlo da uomo
che ha soltanto pratica del palcoscenico e del pubblico.
Io personalmente ho provato nel leggere *Così è* un raro
godimento. Non nascondo che qualche istante di stan-
chezza mi ha preso per quel rincorrersi di rivelazioni
contradicentesi fra la Sig. Frola e suo genero. Ma la vivezza italianissima della *curiosità*, così variamente im-
personata nelle figure di contorno, riportava il mio pensiero ad autori d'altri tempi, austeri e riservati, pittori
sdegnosi di troppe parole vuote ed inutili... E il mio interesse era subito riagguantato solidamente. Ma a lettura finita, glielo confesso, non ho saputo evitare il dubbio che le bellezze di *Così è* sieno di quelle che si gusta-
no nella solitudine e in quel raccoglimento che istinti-
vamente si impone quando ci si accinge alla lettura d'u-
n'opera il cui autore è già garanzia di nobile diletto. E
non m'è riuscito di non temere che manchi al lavoro,
per la sua efficacia rappresentativa, qualche *difetto* che

forse lo farebbe trionfare. Che nell'assedio al segreto del Sig. Ponza si accentui la intensità dei persecutori, e sempre con tinte crescenti e con varietà d'analisi, è certo. Ma, mi è parso altrettanto certo che la situazione rimanga immobile. E così la grande forza protettrice dei tre atti rimarrebbe *la loro forma*, cioè quella parte della sapienza teatrale alla quale il pubblico è disabituato da tanti anni. Ora non so fino a qual punto si possa aver fede in questo sostegno! Non so dirle che questo. Non riesco a pronunziarmi con lei, dopo la compiacenza che veramente le debbo, coi termini che abitualmente mi vengono spontanei quando ho ben capito, o credo d'aver ben capito quello che ho letto. Non dia dunque ai miei dubbi un colore esatto perché non sono né definiti né chiari. Già ella non è uomo da aver bisogno di consigli su ciò. Faremo così: io metterò in scena la sua commedia con una distribuzione della quale le renderò conto perché sul Gandusio non si potrà contare a causa di una depressione nervosa che lo costringerà a non affaticare la mente per qualche tempo. Vedrò come i tre atti mi risultano alle prime prove e le riferirò subito le mie definitive ismpressioni. Son certo che potrò coll'impersonazione delle figure capire con maggior limpidezza quali speranze, quali *quasi certezze*, potrei accarezzare per la sua opera. Desidero di veder distrutte le mie poche paure prima di dirle un SÌ assoluto. Mi lasci fare. E attribuisca, la prego, alla viva ammirazione mia per il suo ingegno questa cautela che mi riservo. Coi miei devoti ossequi suo V. Talli.»

(lettera di Talli a Pirandello del 20 maggio 1917, pubblicata, ma non integralmente, in Sabatino Lopez, *Dal carteggio di Virgilio Talli*, cit., p. 139, ora ripubblicata integralmente in *Maschere Nude*, «I Meridiani», cit., vol. I, pp. 422-423).

«Eg. Sig. Pirandello, Ebbi a suo tempo la sua gentile lettera e ho aspettato a ringraziarla della fiducia che ella mi mostra per quando mi fosse stato possibile inviarle dei personaggi del *Così è* una distribuzione definitiva. Questa distribuzione è l'acclusa alla mia lettera d'oggi. La commedia fu letta agli attori con questo criterio distributivo. Immagino, da quel che ella mi scrisse invitandomi a leggere *Così è*, che le sia parso fin d'allora il Lupi adatto a impersonare la parte di Laudisi. E difatti il Lupi è attore semplice, è dicitore privo di convenzionalismi professionali; avrebbe, insomma, molti dei requisiti occorrenti a *rendere* una figura che nel caso nostro rappresenta l'essenza filosofica dell'opera d'Arte. Ma a questa figura guidatrice e commentatrice occorrerà sulla scena un mantenimento d'intensità e un leggero crescendo di colore... che il Lupi non ci saprebbe assicurare. Il Lupi è un buon attore *a tratti*... riesce però raramente a rendere una figura completa con la dovuta continuità e coi dovuti crescendi tecnicamente necessari col procedere d'una situazione. Il Betrone ha invece questa possibilità al massimo grado, e l'ha fin troppo, forse. È abile, è pratico; non ci darà certe finezze che noi vagheggiamo, ma non provocherà languori che alla ribalta sarebbero fatalissimi. Betrone sarà dunque Laudisi e Ponza sarà il Lupi. Per questa figura, che dovrà avere linee di misteriosità e contrazioni spirituali molto vicine a quelle che denotano disordini psichici, il Lupi porterà, oltre il concorso della sua intelligenza, quello, non lieto per lui, ma utilissimo per noi in questo caso, del suo temperamento isterico. La Melato ha gentilmente acconsentito ad essere la Signora Frola. – Non occorre che io mi diffonda a provarle come questa decisione, determinata nella mia illustre collega da considerazioni audaci ed elevate delle quali le attrici non sono prodighe certamente, potrà giovare all'interpretazione della sua parabola. Credo che sarà contento. E presto scriverò quando tre o quattro prove di *Così è* mi avranno infuso una sicurezza che è già molto vicina, ma che voglio assodata ancora, nel di lei interesse, da pratiche constatazioni. Dopo di che Ella non avrà che da raggiungerci a Milano per assistere alle ultime prove. La saluto cordialmente V. Talli.»

(lettera di Talli a Pirandello del 31 maggio 1917, proprietà Eredi Stefano Pirandello, pubblicata in *Maschere Nude*, «I Meridiani», cit., vol. I, pp. 424-425)

GOBETTI CRITICO DI «COSÌ È (SE VI PARE)»

Dopo la prima realizzata dalla compagnia di Virgilio Talli, *Così è (se vi pare)* fu allestito anche da altri complessi teatrali. Nel 1921 è di scena la compagnia di Ernesto Ferrero e di Andreina Rossi. In questa occasione Piero Gobetti recensisce la commedia su «L'Ordine Nuovo» del 24 luglio 1921: poche frasi generiche riservate agli attori, ma una lunga e attenta analisi dedicata al testo pirandelliano, che pure considera come uno dei meno riusciti del drammaturgo.

Così è (se vi pare) non è il capolavoro di Pirandello; anzi rappresenta una parentesi della sua attività, un uscire da se stesso per appagarsi in un esile gioco di fantasia, prima di creare *Il piacere dell'onestà*.

Parlare di Luigi Pirandello vuol dire inizialmente contestare la validità di tutte le elucubrazioni dei nostri incompetenti critici drammatici (Tilgher eccettuato), che messi di fronte ad un'opera d'arte vanno a ricercarvi le leggi teatrali e i principî tecnici. Luigi Pirandello non si può classificare, non si possono ridurre le opere sue nella categoria dei *grotteschi*, poiché egli sta ad Antonelli ed a Chiarelli, come Boccaccio a Gentile Sermini, come Metastasio all'abate Casti.

La sua riforma è tutta interiore e personale e reca con sé un rinnovamento tecnico solo nel senso che il suo spirito si crea una forma sua, si esprime in modo adeguato alla propria individualità. Tutta la filosofia che si ritrova in Pirandello non è astratta cultura, non brillante paradosso, ma *forma mentis* dell'autore, via attraverso cui egli è giunto a ritrovare se stesso, ad approfondire la propria coscienza; e non resta estranea all'arte perché rappresenta un interesse vivo dell'autore e non ne deforma quindi l'espressione, come Lucrezio prova un vivo interesse (suscettibile di perfetta espressione artistica) per Epicuro e Democrito, come Dante per Tomaso e Bonaventura. L'arte di Pirandello non cerca strani abissi di tenebroso tecnicismo filosofico o nubi irraggiungibili di astrattezza; ma esprime semplicemente, limpidamente l'anima dell'autore. Colpa del lettore, se non intende; poiché l'artista ha il diritto di essere studiato, può esigere che si salga sino a lui: e perciò basta superare quelli che sono meri presupposti culturali corrispondenti a un momento storico determinato. Per uno spirito del nostro tempo Pirandello non che sembrare uno strano agitatore di incomprensibili antinomie, appare come il vero rappresentante del mondo moderno, poeta sicuro e commosso della tragedia della dialettica. Da queste premesse metodologiche, deve muovere l'analisi dei singoli momenti espressivi.

Così è (se vi pare) è la classica commedia costituita secondo i sistemi tradizionali, quasi su un tono lieve di farsa, col dualismo scherzoso di pubblico e autore. Se in *Liolà* c'era la freschezza e la malizia di Machiavelli, in *Così è (se vi pare)* si sviluppano elementi e forme che nascono in modo diretto da uno spirito serenamente shakespeariano, dello Shakespeare delle migliori commedie. Il paragone, che dice – sia pure tenendo ferme certe proporzioni di valore – qual conto noi facciamo dell'arte di Pirandello, si può continuare ché allo Shakespeare tragico corrisponde la maturità sicura del Pirandello del *Piacere dell'onestà*.

Esistono nella commedia pirandelliana tre centri drammatici come punti di riferimento di quel mondo sentimentale che entro vi si agita; organici in una sola realtà artistica perché realizzati come successivi approfondimenti della situazione.

1. Il contrasto tra il signor Ponza e la signora Frola come presupposto sentimentale dell'azione, contrasto tragico latente che si realizza violentemente nella scena del secondo atto; e genera poi, in commosso silenzio, le relazioni tra la signora Ponza e i due antagonisti. Momenti sentimentali che si snodano efficacemente da un unico nucleo. Altri ha osservato che queste tre figure restano troppo inespresse (la signora Ponza soprattutto) e non si adeguano a quella posizione tragica che in esse s'intravvede. In realtà queste figure sono mere occasioni: non hanno una funzione propria; restano in una vaga ombra imprecisa; il loro mondo intimo permane un segreto; ma questa è la logica stessa dell'opera che deve mantenersi in un tono di indifferenza sentimentale.

2. Contrasto tra il mondo chiuso dei signori Ponza e della signora Frola, e i curiosi che lo indagano. In questo motivo il Pirandello si sforza di realizzare un'opera ironica, ironia classicamente teatrale perché nei curiosi vien ravvisato finemente lo stato d'animo degli spettatori. Questo motivo ha tutta l'attenzione dell'autore che minutamente lo sviluppa, ma non vi si arresta (l'arresto non comporterebbe più soluzione – rientreremmo in un mondo di leggerezza francese).

3. Contrasto tra i curiosi e Laudisi. Qui è il vero centro della commedia che riesce per questo approfondimento di ironia una delle commedie più complete che mai siano state scritte. L'organismo comico ha così chiaramente i suoi limiti. L'intemperanza delle supposizioni dei curiosi che poteva generare qualche situazione superficiale di *pochade* si ferma e si organizza così da un lato intorno alla lieve tristezza del mistero Ponza-Frola, dall'altro intorno alla superiorità estranea di Laudisi che vede in chi lo circonda uno strumento per le sue esperienze. E poiché Laudisi è veramente (anche in senso empirico) l'autore che tende a burlarsi piace-

volmente del pubblico, la commedia assume un colore fantastico di irrealtà in cui è la sua misura e la sua perfezione artistica.

La commedia è spensieratezza, leggerezza, superficialità: la commedia ha un suo fine pratico che la distrugge come espressione coerente a se stessa: ora il Pirandello la realizza umanamente in quanto assume una posizione critica e senza credere ai fantasmi che agita li distrugge con l'ironia, li limita in una premessa di superiore serenità in cui ogni intemperanza sentimentale viene repressa.

Questa ironia non è intesa da chi accetta e segue (con grossolano pregiudizio romantico) l'intreccio della commedia come vero nucleo che l'autore si proponga di chiarire e che risolva per maggior successo in un facile *qui pro quo*: tale interpretazione non comprende la severità dello svolgimento che è scherzo in un modo assai più signorile e completo. Si pensi come è costruito sapientemente nel primo atto il contrasto tra le due scene di cui sono a vicenda protagonisti il signor Ponza e la signora Frola: lo spunto è analizzato sino alla perfezione, sino a costruire due perfette illusioni che contrapponendosi si corrispondono battuta per battuta, frase per frase con una completezza stilistica nervosa, arida, incalzante propria di un grande scrittore. Vedere in ciò la dimostrazione di una tesi – la verità non esiste, vero è ciò che noi crediamo – non significa non intendere la fantasia che ha voluto creare l'autore, rimanendo estraneo – vero dominatore – alla sua stessa creazione.

Lo stesso si dica dell'austera solennità dell'ultima scena. Ché se si volesse dimostrare una tesi, l'errore non potrebbe essere più grossolano: la tesi sarebbe falsa perché mentre la si può dimostrare in sede di gnoseologia è assurdo ipostatizzare una realtà ideale nella persona empirica della signora Ponza. Se è vero che essa è ciò che la si crede, non è men vero che *per sé* è pure una realtà (per chi non alteri il fatto conoscitivo con intrusioni intellettualistiche). Questo non è il caso di Pirandello che non vuole dimostrare nulla, che fuori delle leggi empiriche, in una melanconica armonia di sogno, ha creato una situazione dialetticamente vera perché artisticamente coerente: nella fantasia dell'autore la signora Ponza può vivere come vive perché non rappresenta alcun interesse e nello spirito dei personaggi è davvero un fantasma perché fantasma è la verità di chi la cerca nel pettegolezzo. Questa piuttosto è la tesi del Pirandello, e resta sottintesa senza alterare l'equilibrio artistico che, come abbiamo dimostrato, è perfettamente realizzato. «Discreta fu l'interpretazione degli attori. Ferrero si sforzò di recitare come chi si *compiace della sciocchezza altrui*, e fu elementare ma lodevole; Andreina Rossi rese perfettamente, con grazia e vivacità, quella *cert'aria di capir tutto meglio della mamma e anche del babbo* che deve avere Dina; diligente la Pinelli».

(Piero Gobetti, *"Così è (se vi pare)" di L. Pirandello*, in «L'Ordine Nuovo», 24 luglio 1921, ripubblicato in *Scritti di critica teatrale*, Einaudi, Torino 1974, pp. 330-334).

IL «COSÌ È» DI MASSIMO CASTRI

Il 5 novembre 1979 va in scena in prima assoluta al Teatro dell'Arte di Milano il *Così è (se vi pare)* prodotto dal Centro Teatrale Bresciano, regia di Massimo Castri. È il terzo frutto della cosiddetta "trilogia" pirandelliana che Castri realizza con l'ente bresciano (ma in seguito allestirà altri testi pirandelliani, con differenti istituzioni teatrali: per il momento è arrivato a contare sei regie pirandelliane). La recensione di Ugo Volli mette in luce la forte novità (e qualche volta il rischio di pura provocazione) dell'allestimento castriano.

Così è, se vi pare. Due verità a confronto; o forse due follie che sbucciano la realtà a strato a strato, come fosse una cipolla, senza mai esaurirla. Perché il signor Ponza vive con la moglie separato dalla suocera e non le lascia incontrare? Perché non è la figlia della suocera, risponde lui, ma un'altra, una seconda moglie. La suocera è pazza e s'illude. Perché il pazzo è lui – replica lei – e lui s'illude che sia un'altra perché non gliela sottraggano. E ognuno assicura di acconsentire alla follia dell'altro per carità e amore, complicando la faccenda.

Intorno, il solito gruppo borghese di provincia egoista, insensibile, curioso, sostanzialmente stupido e ingenuamente fiducioso nella realtà dei fatti, salvo un cinico portavoce dell'autore, che ci ammonisce fin dall'inizio sull'inesistenza della verità. Al centro, una vittima-complice, che si rifiuta di scegliere fra le due verità e ribadisce il dilemma.

Tutto chiaro dunque? Commedia dell'identità, Pirandello quanto mai pirandelliano, geometria dell'impotenza conoscitiva? Senza dubbio. Così si è letta e rappresentata da sessant'anni quasta «parabola», accentuandone più o meno il lato «filosofico» o drammatico. Ma se si cercasse di compiere sopra Pirandello un'operazione «pirandelliana»? Se si provasse a dubitare della sua «verità», a «smascherarlo» (appena un po')? Se si guardasse a ciò che *non* dice? se si leggesse Pirandello come un sintomo?

È da qualche anno in qua il lavoro di Massimo Castri, che già con *Vestire gli ignudi* e con *La vita che ti diedi* ha realizzato due spettacoli di notevole interesse e peso «teorico» al di là della cifra stilistica personale affascinante (ma talvolta un po' ripetitiva) con cui li ha trascritti. Non ne usciva un Antipirandello per gusto iconoclasta, ma apparivano in piena luce certi (non troppo sorprendenti) scheletri dell'armadio, a proposito della donna, della violenza, della società borghese.

Oggi, con *Così è se vi pare*, questo lavoro trova un risultato più profondo e radicale e riesce a tradurlo in una cornice espressiva meno fredda e schematica. «Eccessivo» pare a Castri il «meccanismo teatrale traslucido e senza crepe della piéce» e la sua ricerca va verso la «macchina di desiderio» che lo motiva, «la verità pulsionale» ben altrimenti ambigua della doppia storia del racconto: una verità evidentemente «pericolosa» affondata nei meandri della famiglia che uccide e del tabù dell'incesto. Nella zona, dice Castri, dei sei personaggi.

Ed è così che sulla scena tutti i personaggi si dividono in padri (con lo smoking), madri (con un vestitino grigio) e figlie (con la tunica bianca che fa tanto *Mine Haha*). I «tre» vi sovrappongono altri segni di differenza, pelliccette e baschi, e sciarpe nere; alla fine li deporranno e saranno gli «altri» a indossarli. Per lo stesso motivo lo stile della recitazione è assai diverso da quello che sembrerebbe naturale. Gli «altri», il pubblico, sono molto meno avvoltoi e iene e farisei di quanto ci aspetteremmo e piuttosto vivono una condizione clownesca e infantile: le solite ripetizioni di Castri addosso a loro assumono l'aspetto del tormentone da farsa. I «tre» fingono di scontrarsi, non fanno sul serio: la complicità prevale largamente sul conflitto. Le verità e le follie del genere e della suocera si puntellano a vicenda assai più che non si annullino.

Luisa Rossi, la suocera, racconta la sua fiaba con ostinata dolcezza, sempre con l'aria di dire «c'era una volta», Virginio Gazzolo recita la sua parte in un gioco di afasie continuamente superate e riproposte, aggiungendoci un che di imparaticcio, di artificiale. Patrizia Zappa Mulas la moglie, dice il suo «non sono nessuna», senza rassegnazione, vittimismo, mistero, con la risolutezza di una che ha deciso da sé.

Questo di Castri è una sorta di metaspettacolo niente affatto ripetitivo rispetto ai precedenti, come si potrebbe superficialmente vedere. Né tenta una banale «psicanalisi di Pirandello»; si sforza piuttosto di spostarne l'angoscia e il gioco degli specchi da un «non possiamo conoscerci per quel che siamo» a un «non possiamo essere quel che siamo». L'operazione corre esplicitamente il rischio dell'arbitrio, e anche qua e là quello della banalità espressiva (come per un certo colpo di pistola che uccide Laudisi alla fine). Ma funziona, e rivela uno scarto, un vuoto, una vertigine. Un Pirandello più vicino e crudele del ragioniere delle doppie identità, dell'intimista, dell'espressionista, del borghese, dell'artigiano, del poeta, del logico, dello speculativo, del femminista, del prolisso che quest'anno tirano tutti fuori dai cassetti.

(Ugo Volli, *Racconta la tua verità: è diversa da ogni altra*, in "La Repubblica", 7 novembre 1979).

INDICE

OSCAR TUTTE LE OPERE DI LUIGI PIRANDELLO